WAC BUNKO

卑怯者、

あっち系の懲りない面

飯山陽

WAC

卑怯者！

あっち系の懲りない面々

目次

第3章 多様性と共生の社会？ すでに破綻しているでしょ！

装幀／須川貴弘（ＷＡＣ装幀室）

第1章

衆院補選激闘編～
日本は日の出《あかり》を待っている

小池百合子「女帝即位」の野望を打ち砕く

進退窮《きわ》まった東京都知事

皆さん、こんにちは、飯山陽です。お元気ですかー！

時の流れがますます速度を増している現代、すでに旧聞に属する話題かもしれないし、首都圏以外にお住まいの方はそもそもご存じないかもしれませんが、私、2024年4月28日に行われた衆議院東京15区補欠選挙に日本保守党から立候補して、2位グループに食い込んだという出来事がありました。

その詳しい経緯につきましては私のYouTube「飯山あかりちゃんねる」の過去のライブ配信をご覧いただきたいと思いますが、当選したのは本命と目されていた立憲民主党の新人、酒井菜摘さんという方。4万9476票を獲得しましたが、この候補は共産党に推薦され、社民党の福島瑞穂も応援に入るなど「あっち系オールスターズ」体制で臨んできました。「立憲共産党」という鉄壁の組織に行手を阻まれ、あえなく敗退したのは私の不徳の致すところです。本来、保守が共産党に破れるようなことが、ここ日本であってはならないはずなのですが。とはいえ、私は2万４２６４人もの方々に投票していただきました。本当にありがとうございました。

日本保守党というのは作家の百田尚樹さんとジャーナリストの有本香さんが日本を守るために設立した政党ですが、今回の立候補者である私の役割は、まず日本保守党の存在とその政策を多くの人に知ってもらうこと、ノルマンディ上陸作戦の先兵として、後続の方々に、私の屍《しかばね》を乗り越えて行っていただくことでしたから、その目的は果たせたと思っています、ハイ。

どこかの新聞が、落選の報に日本保守党の新人、飯山陽候補は「肩を落とした」なんて書いていましたが、それは誤報です。私は選挙戦の最中もタスキがずり落ちてきて困ったほどのなで肩なんです。ガッカリ肩を落としたというのとはちょっと違ってなで肩だったっちゅうことです、念のため。

さて、実は日本保守党の存在を広く知らしめただけではなく、私の立候補は予想外の大きな成果をもたらしました。それは小池百合子都知事の国政復帰を阻《はば》んだことです。

私が日本保守党の有本香事務総長に説得されて、東京15区（江東区）補選に立候補することを表明したのは２０２４年3月5日のことですが、もちろんそれ以前から選挙が行われることは決まっていたわけで、小池百合子氏はどうやら、都知事をやめて、今回の補選で楽勝して衆議院議員に戻り、つまり国政に復帰して、自民党に再び三顧の礼を以て迎えられるという華やかなストーリーを描いていたらしい。

やはり小池百合子氏は選挙に強い、すごい人気と神通力を持っている、いま自民党の支持率は下落する一方だから、岸田総裁では選挙に勝てない。やはり党の顔、選挙の顔となるのは「百合子しかいない!」とチヤホヤされる自分を思い浮かべ、野心家の百合子さんは、いまこそ「日本初の女性総理」へのステップを踏み出す時だと虎視眈々と準備を進めていたことでしょう。

そこへ、とんでもない邪魔者が現れた。それが私だったわけですね。

私の立候補を発表する日本保守党の記者会見の席で、どこかの記者が「小池都知事が出馬するみたいですけど」と話を振ったところ、百田代表が「そうなったら、ウチの飯山陽もアラビア語をしゃべりますから、小池さんとアラビア語で論争してもいいんじゃないでしょうか」なんてことを、いつもの調子で面白おかしく答えました。

メディアなんてぇものは無責任なものでございますから、ユリコとアカリのアラビア語漫才、じゃなかった、「激突!アラビア語対決」なんて、マスコミ的にちょっとおいしそうですから、記者さんたちは大喜びして帰って行きました。

ところが、その翌日、朝早くから東京都庁で待ちかまえていた、いつもより数の多いマスコミの前に姿を現した女帝・小池百合子氏は、むちゃくちゃご機嫌斜めだったそうです。「おはようございます！」とあいさつしても、ふてくされたような表情のままだったとか。

その理由はわかりません。虫歯がうずいていたのかもしれない。だけどまぁ結論から言うと、あれほどヤル気満々だったのに、小池都知事は結局、東京15区補選には出馬しませんでした。

複数の筋から聞いたところによると、女帝はすっかりその気だった。今回の15区補選は小池百合子が日本初の女性総理になるための最短ルートでした。ホップ・ステップ・ジャンプの最初のお気楽な一歩だと、少なくともご本人はそう考えていた。ところが、出るに出られなくなった。これは何を意味するのか。

一つの可能性として言うならば、飯山陽とかいう全く想定もしていなかった見たこともない変なやつが、いきなり東京15区に現れて、あろうことか「アラビア語対決しようぜーい」と言い出した。

本来なら「下々の女がうるさいわね」と無視するか、流暢なアラビア語で軽く論破してやればいいだけの話ですよ。だって、小池百合子都知事は、エジプトのカイロ大学で、必死にアラビア語で猛勉強して、なんと「首席で卒業された方」なんですから。

それでマスコミに顔を売り名前を売り、政界に進出して現在の地位まで上り詰めた。それもこれも「カイロ大学を首席で卒業した初の日本人女性」という光り輝く経歴があったればこそ。それが彼女の存在理由《レゾンデートル》でもあるわけですね、ハイハイ。

それがなければ失礼ながら、小池百合子さんは関西の私大を中退したただの人。政治家としての現在があったとは考えにくい。「小池百合子」に「カイロ大学」はセットでついてくるわけです。ということは、アラビア語なんか超ペラペラに決まっているじゃないですか。ネイティブのエジプト人よりアラビア語ができなければ、難関カイロ大学を首席で卒業できるわけがありません。

はっきり言って、彼女には長きにわたる学歴詐称疑惑があるわけですから、どこの馬の骨とも知れない女がケンカを吹っかけてきたのは疑惑を払拭する絶好のチャンスじゃありませんか。「あなたたち、選挙のたびに私の学歴がどうのこうのと騒ぐけれど、ご覧なさい、私のこの語学力と弁論術を」とばかり、受けて立てばいいだけの話です。

しかし、仮にですよ、まさかとは思いますが、もしもカイロ大学首席卒業というのがウソだったとすると、「アラビア語対決しようぜ！」などとほざいている飯山陽が同じ選挙に出るのは、これは困りますよね。公開討論会とか、ネット討論会とか、接触する機会がいっぱいありますから。そういう場で私がバーッとアラビア語で何かしゃべり始めたらわかったふりをしなきゃならないし、もし質問されて何も答えられなかったら、学歴詐称疑惑が一挙に真実味を増してしまう。アラビア語があまりよくわからないということが大衆の目にさらされてしまうわけです。

だから、小池都知事にとってみれば、すげえイヤなやつが現れたというのが正直な気持ちでしょう。だって、皆さんちょっと考えてみてください。これはあり得ないことですよ。よりによって中東研究者で、アラビア語ができて、東大で博士号を取っていて、しかもいわゆる内気なタイプではなく超オープンマインドで、怖いもの知らずの議論好きな女が、何の因果か、日本初の女性総理への最短ルートに立ちはだかった。これ、ものすごく運命的だと思いませんか。

小池さんにしてみれば、1億2000万人いる日本人の中で、「こいつだけは出てきてはいけない人間」が飯山陽でした。言い換えれば1億2000万分の1の確率でしか起こり得ないことが現実に起こったのです。

私の立候補は、もしかしたら小池百合子の国政復帰への最短ルートを封じ込めた可能性がある。そう考えるとものすごく運命的なものを感じませんか。

有本さんと百田さんが私を説得さえしなければ、小池百合子が出て、自民党も公明党も候補者を立てず、小池百合子は圧勝、快勝。自民党の大物たちも「百合子様、百合子様」ともてはやす。「そうね、やっぱり私じゃないと、もう自民党もたないしね。私を担《かつ》ぎなさいな、皆さん。私の神通力で自民党を建て直してあげるわ。私が顔になれば次の選挙も勝てるわよ。私を誰だと思っているの、小池百合子よ」みたいな感じに今頃なっていたと思います。日本の政治は、日本の未来はかなり変わっていた可能性だってあったのです。

インクルーシブかエクスクルーシブか

その代わりに、何を思ったか小池都知事は「誰一人取り残さないインクルーシブな社会を実現できる方と思いましてお声がけいたしました」とか言って乙武洋匡《ひろただ》さんを担ぎ出しました。

「インクルーシブ」というのはどうせ「包括性」とかいう意味で使っているんでしょうが、7年前には「排除（エクスクルーシブ）いたします」と言っていましたよね、確か。

それはともかく、乙武さんの選挙ポスターも百合子女帝と一緒。12日間の選挙期間中に9日間、応援に入ったそうですから、ほぼ毎日ですね。小池都知事が乙武さんの応援に駆け付けたのを、私自身、何度も見ました。都知事ってそんなにヒマなんでしょうかね。

都知事が選挙区に現れるたびに警察官が何百人も出動して江東区の道路を封鎖。警備も万全でした。選挙妨害され放題だった私とは雲泥の差です。

私のことだって応援してくれてもよかったと思うんですけどね。女同士だし、私も同じようにエジプトに住んでいたんだから、「インクルーシブな社会」を実現するんだったら私のことも少しは助けてくれてもいいはずなのに、完全無視です。「誰一人取り残さない」じゃねえよって話です。

その結果が、乙武氏惨敗。神通力をお持ちのはずの、「私を誰だと思っているの」の小池百合子都知事が、選挙期間中べったり張り付いて応援したにもかかわらず、なんと2万票にも届きませんでした。供託金没収すれすれですよ、ハイ。

ということは、現実問題として小池百合子の影響力というのはメディアが騒ぐほどにはなかったということですよ。神通力なんかありゃしない。だって、この15区補選の1週間前に目黒区長選があったんですが、そこでも小池都知事と国民民主党が推薦した候補者は負けているんです。

国民民主党は乙武氏の推薦もしていましたから、小池人気をあてにして、ここで恩を売っておけば、次の総選挙で協力が得られるかもしれないという下心がミエミエです。国民民主党は憲法改正を謳《うた》っているのに、改憲に反対している乙武氏を推薦して、党代表の玉木雄一郎氏は小池百合子と一緒に応援に来ていましたからね。何なんですかっちゅう話なわけです。

選挙に勝つためなら政策もイデオロギーも棚上げにして勝ち馬に乗ろう、といういやらしい根性が裏目に出た。それじゃ立憲共産党と同じです。国民民主党支持者は乙武さんより私に入れた人のほうが多かったらしい。やはり有権者をナメるものじゃありません。

『日刊スポーツ』紙によると、乙武さん惨敗の結果をどう受け止めるかという報道陣の問いに小池百合子さんは、「大音声などによる想定外の選挙妨害のせいで、乙武さんだからこそのインクルーシブな政策を十分にお伝えできなくて、本当に残念な結果になってしまいました」と答えていました。

つまり敗戦の第一の理由は選挙妨害だったというのですが、いやいやそれはない、絶対ありません。だってあなたが来た時は、道路封鎖して警官が取り囲んで、あなたと候補者を守っていたじゃないですか。私なんかに比べたら鉄壁の守りでしたよ。

それより、乙武さんが大声で「インクルーシブだ、誰一人取り残さない」と叫んでも、さっぱり心に響かない。有権者の皆さんも同じ思いだったからこそ、あの結果になったと私は考えております、ハイ。

午後8時の投票締め切りと同時に落選が決まると、敗者に用はないとばかり選挙事務所に姿も見せず、乙武さんを一人取り残してエクスクルーシブ（排除）した小池さんに、「インクルーシブな政策を十分にお伝えする」のはそもそも無理だったんじゃないでしょうか、ハイハイ。ということで、私が選挙戦に出たことによって、小池百合子さんの国政復帰を防ぎ、日本初の女性総理への最短ルートを塞いだだけでなく、結果として、もはや小池さんからは人気も神通力も失われたことが白日の下にさらされる結果になりました。

私のことを泡沫候補扱いして完全無視した読売新聞をはじめ、「小池百合子の人気は絶大だ。小池百合子の影響力は衰えていない」とあれほど書き立てていたマスコミは、選挙が終わったら手の平を返して「百合子の人気に翳りが……」と、昨日までとは全然違うことを書き始めました。これまで何を取材していたんでしょうか。ろくに検証もせず、憶測と願望のみで記事を書く。無責任きわまりないとはこのことです。少しは仕事をしたらどう・なん・ですか！

それに比べて、結界を破ろうとした小池百合子という魔物をとりあえず封じ込めた私は、思わぬところで思わぬ仕事をした、国民のためにいい役割を果たしたと言えるんじゃないでしょうか。誰も言ってくれないから自分で言うんだよということでございますね、ハイ。まさか日本社会のために、政治の世界で私のアラビア語というカードを切れる時が来るとは思ってもみませんでした。でも、こういうことってあるんですねぇ。人生何があるかわからない。すごいですね、面白いですね、人生って。

この場を借りて、私に投票してくださった2万4264人の方々、有形無形の応援をしてくださった方々に、当選は叶いませんでしたが、あらためてお礼を申し上げるとともに、皆さんのためにこれからもいろいろな形で頑張っていくことをお約束します。ありがとう！

（2024年5月1日）

小池都知事のアラビア語は2歳児並み

あの望月衣塑子さんが……！

前項でお話ししたように、私は2024年4月に行われた東京15区の衆議院議員補欠選挙に立補して、選挙戦を戦いました。

その間もYouTube「飯山陽ちゃんねる」のライブ配信は行っていたのですが、4月17日でしたか、ちょうどライブで話をしている時に電話がかかってきたことを、観ていた方は覚えていらっしゃると思います。

ライブ収録が終わってから折り返し電話してみたら、その人は、かつて例の小池百合子都知事の腹心の部下だった小島敏郎さんが外国特派員協会で開いた記者会見に参加していたそうで、その席で「飯山さんの名前が出てきたよ」っておっしゃるんですよ。

はてな。私は小島敏郎さんとも小池百合子さんとも面識がないし、ましてお二人のあいだのトラブルにもいっさい関係がありません。まあ、小池さんは同じく15区の衆院補選に立候補していた乙武洋匡さんの応援演説にしょっちゅう駆け付けていらしてましたから、遠くからお姿は何度かお見かけしていますが、私のことはガン無視でしたから、いったいなんでわしの名前が出てくるんじゃと首をかしげました。

事情をご存じない方のためにちょっと説明すると、小島敏郎さんという方は、小池百合子氏率いる「都民ファーストの会」の元事務総長で、小池都知事の学歴詐称疑惑に関する告発手記を月刊誌『文藝春秋』2024年5月号に発表されています。記者会見はそれを受けてのものですが、小島さんの口から語られたのは、4年前に学歴隠蔽工作に加担したという、文藝春秋に載っていた内容と基本的には代わり映えしない内容でした。

ところが、その後の質疑応答の場で質問に立った記者の一人が、東京新聞が放し飼いにしている例の望月衣塑子さんでした。

あっち系オールスターズ記者のアイドル系であり、他人の迷惑かえりみず、遙か傲岸不遜の彼岸からやって来ましたモチヅキ・イソコ。絶対に質問（というか演説）しないではいられないタイプのこの方が、「イスラム研究者の飯山陽がYouTubeの番組で、自称カイロ大卒の小池都知事のアラビア語は2歳児並みだと言っていました。二人でアラビア語対決したらいいんじゃないかですか」みたいなことをしゃべり始めたというのです。

望月衣塑子さん、あなた、私のYouTube見てくれとるんけ。ありがとう！　望月衣塑子さん、初めまして。こんにちは、お元気ですかー！

あの反日・左翼のアイドル望月衣塑子さんも見ている「飯山あかりチャンネル」、面白いですよぉ、ぜひチャンネル登録をお願いします。はい、確かに望月衣塑子さんのおっしゃるとおり、私、小池百合子都知事のアラビア語能力について検証した動画を上げています。

小池都知事は、カイロ大卒というのが公式の学歴になっています。

カイロ大学というのは、その名のとおり、エジプトのカイロにある大学で、授業は基本的にアラビア語で行っています。カイロ大学を卒業したということは、小池氏は当然、アラビア語で学問することができるはずです。言い換えれば、学術レベルのアラビア語を読み、書き、話すことができるということです。

それは当然、アラビア語で日常会話ができる以上の能力を持っていることを意味します。エジプト人の５歳児は、アラビア語をペラペラと話すことはできますが、アラビア語の大学の授業は理解できませんし、単位もとれません。

くわえて小池氏は、アラビア語の通訳をしていたことになっています。つまり小池氏は、単にアラビア語ができるだけでなく、プロのレベルで使える極めて高いアラビア語の能力および日本語能力を持っているはずです。

私は小池氏がアラビア語を話しているのを聞いたことがないので、実際に彼女のアラビア語を聞き、彼女のアラビア語能力が本当に学問レベル、プロのレベルにあるのか、検証してみました。

検証したのは、ＹｏｕＴｕｂｅで見つけた「アラビア語でインタビューされる小池百合子」という短いニュース映像の動画です。

この動画を観る限り、これは……かなりヤバい。

結論から申し上げると、小池百合子氏のアラビア語能力はかなり低い、と言わざるを得ません。まず、小池氏はアラビア語を正確に発音できない。単語も間違えるし、文法的にも間違えている。アラビア語の質問にアラビア語で答えることができない。アラビア語の質問に見当違いな回答をしている。

外国語の発音を日本の文字で表記するのは不可能なので、できれば私のＹｏｕＴｕｂｅの動画を参考にしていただけるとありがたいのですが、日本語に音訳するとたとえば両方とも「ア」と表記せざるを得ないにもかかわらず、音が全く異なる単語があります。こうした発音を使い分けることができないと、会話は困難です。小池氏はおそらく、アラビア語の発音の訓練をきちんと受けていないようです。

次に、たとえば彼女は「クーワートゥルバシャリーヤ」という私が聞いたことのない単語を使っています。「クーワート」は軍隊、バシェリーヤは「人間」のことだから、小池さんの言っているのを直訳すると「人間の軍隊」という意味になります。だけど、それでは意味をなさない。だから、何を言いたいのか文脈から考えてみると、これはおそらく「クーワトゥルバシャリーヤ」と言いたかったのではないかと思われます。それでもちょっと変な言葉ですが、「クーワ」は「力」ということですから、それなら「人間の力」という意味にとれないことはない。おそらく「人間パワー」というようなことを言いたかったのではないか。

小池さんは「軍隊」と「力」という単語を言い間違えている。つまり、彼女はアラビア語の基本単語もろくに習得していないことが推測されます。

次に、小池氏はアラビア語で、「あなたはリビア人に対して何か具体的な支援を提供するつもりはありますか?」と質問され、それに対してとっさに「タブアン（もちろん）」と言ったあと、「フィー…フィー…アウ…」と口ごもり、隣にいるアラブ人男性が「フィー・アクラブワクトゥ……」と助け舟を出すと「フィー・アクラブワクトゥ・ムムキナ」と回答します。

これは「できるだけ早いうちに」と言いたかったのでしょうが、正確には「ムムキナ」ではなく「ムムキン」です。彼女は「できるだけ早いうちに」、英語で言うならば、as soon as possibleに該当するような言葉すら、アラビア語でとっさに出てこない。その上、アラブ人に助けてもらってなお、ムムキンをムムキナと間違えて言ってしまっている。これはかなり低次元のミスです。

さらにヤバいことに、小池氏は続けて、こう言っています。

「ヌサーイド・シャクス・ワ・シャアブ・リービー・フィー・ビラード・リービーヤ・リビア・ジャディーダ」

これはアラビア語としては不正確な文章なのですが、無理やり日本語にすると、「私たちはリビアの地におけるリビアの人物、リビアの人々を助けます。新しいリビアで」といったような意味になります。

つまりアラブ人女性と小池氏のやりとりは、こうなっているわけです。

アラブ人女性「あなたはリビア人に対して何か具体的な支援を提供するつもりはありますか？」

小池氏「もちろん、できるだけ早い時期に、私たちはリビアの地におけるリビアの人物、リビアの人々を助けます。新しいリビアで」

全く噛み合っていません。ここで質問されているのは、具体的な支援のことです。だから、「もちろん」と言ったからには、「リビアに水道工事の技術者を派遣します」とか、「日本はリビアのインフラ建設に10万ドル投資します」とか、そういった明確な回答が求められているわけです。にもかかわらず、小池氏は意味不明の回答をしている。これは、小池氏が、相手の話しているアラビア語を正確に理解できていないからです。

これらを総合的に考えると、小池氏のアラビア語の能力は、学問レベルやプロのレベルには遠く及ばず、それどころか5歳児レベルにすら達していない。私が判断するに、2〜3歳児程度の語学力しか持ち合わせていないと言わざるを得ません。

私の娘は1歳から5歳までエジプトに住んでいました。そのころ彼女は、エジプト人より流暢にエジプトのアラビア語を話していました。映像から検証した小池百合子氏のアラビア語より、幼児時代の娘のアラビア語のほうがはるかに上級レベルです。

小池百合子氏がカイロ大学を本当に卒業したのかどうか、それについては私には判断する方法も材料もありません。しかし私は、本当にカイロ大学を卒業したならば、なぜこんなにも、小池氏のアラビア語はお粗末なのだろうか、と首をかしげざるを得ない。

アラビア語対決、やりましょうよ

前項で触れたように、私の立候補会見で日本保守党の百田尚樹代表が「小池百合子と飯山陽のアラビア語対決」という軽口を叩いたせいで、小島敏郎氏の都知事告発会見の席で望月衣塑子さんが私の名前を出したわけですが、はっきり言って、ジャーナリストと称する人たちより、私のやっていることこそがまさに権力との戦いだと思います。メディアは反権力とか口にしながらつねに権力と慣れ合っている。権力と仲よくしていたほうがいろいろと便宜を図ってくれるからでしょ。そうでなければ、なぜ小池都知事をもっとガンガン攻めないのか。小池百合子さんをヨイショすることで自分たちもおいしい思いができるからでしょう。違いますか。

私ね、アラビア語を習得するのにものすごく苦労したんですよ。毎日毎日、アラビア語の夢を見てうなされるぐらい、本当に必死になって勉強しました。それでもなかなか身につかないのがアラビア語という言語なんですよ。

どうしても許せないのは、それなのに、真面目にアラビア語を勉強したと思われる節がまったく見られない小池百合子さんが、アラビア語でカイロ大学の授業とテストを受け、アラビア語の論文を提出して、4年で、しかも首席で卒業したと、悪びれもせず、いけしゃあしゃあと言い放っていることです。他人をバカにするのもたいがいにしろっちゅうの。

もし学歴を詐称しているとしたら、有権者全員を欺いたわけで これは法律に抵触する行為です。しかしながら、学歴詐称の時効は3年だから、これに関してはいまさら小池都知事を刑事罰に問うことはできません。

だから小島敏郎氏がなんで今このタイミングで告発しようとしたのかは私に分かりません。しかし小島氏は、都知事選であろうが国政選挙であろうが、もう一度選挙に出馬する時に「カイロ大学卒業」と謳ったら刑事訴訟を検討すると言っている。一種の〝封じ込め〟を狙っているのかもしれません。

日本人で初めてカイロ大学を首席で出たとか嘘ぶっこいて、鳴り物入りでメディアに登場して、政界に進出して、東京都知事というとんでもない権力を得て、のうのうとプロジェクションマッピングで都庁をキラキラ飾って「まー、キレイ」とか言って喜んでいる。嘘つきは悪いやつです。悪いやつは倒さなきゃいけません。学歴だけじゃありません。都知事になったらこれをやりますって約束したこと、何一つしてないじゃないですか。

望月衣塑子さんが私に言及して、「アラビア語対決をしたらいかがかしら」と言ったら、小島氏もけっこうノリノリでした。対決というのも、一つの方法としてはありなんじゃないかと。つまり、小島氏はこういうことを言っているからなんです。

小池百合子さんがカイロ大学を卒業したというカイロ大学の「声明」がある、そして卒業を認める「証明書」なるものがある、と小池都知事側は言う。しかしながら、そういった文書は必ずしも小池百合子がカイロ大学を本当に卒業したという実態を証明するとは限らない。このロジック、わかりますか。

これはどういうことか。小島氏が言っているのは「住民票ロジック」なんです。たとえば、東京都議会議員に立候補するためには、東京都に住んでいなければいけないというルールがある。では、東京都に住民票があるということと、東京都に住んでいるということはイコールなのかというと、それだけでは実は不十分なんです。住民票は東京都に居住実態があるということを意味しない。そうじゃないですか。だって東京に住民票があると言ったって、本人は北海道に住んでいたりする場合がある。したがって、住民票は東京都に住んでいるという実態を証明するものではない。小島氏はこういうことを言っているわけ。

書類だけではなくて、あなたがカイロ大学を卒業したというその実態を証明してみなさいということなんですよ。立候補する時にはその地域に住んでいなければならないという条件が必要であるにもかかわらず、居住実態がないのに地方議員に立候補して当選したことが問題になった事例は過去にいくつもあります。

住民票は居住実態を意味しないというロジックを卒業証明書に適用したのが今回の小島氏の主張です。なかなかいいことを言っているんですよ。

ですから申し上げているじゃありませんか。百合子さん、私とアラビア語で討論しましょう。もし小池百合子が本当に4年間カイロ大学で朝も昼も夜もアラビア語を猛勉強して、ガチで首席で卒業したという実態があるのなら、公衆の面前で堂々とアラビア語で私とわたり合ってください。「私はこんなにアラビア語ができるんだ」というカイロ大学首席卒業の実力と実態を都民と国民に見せつければいいんです。それなら小島俊郎さんだって納得するんじゃないでしょうか。謙遜はあなたには似合いませんよ。

人間というのは誰しもそうだと思いますけれど、自分が本当に一生懸命やったもの、勉強したことは人に誇っていいんですよ、そう思いませんか。本当に時間とお金をかけて一生懸命に学んだことは当人にとっては財産だし、他人に対して誇るべきものです。

だから小池百合子さん、本当に真剣にアラビア語に取り組んで4年間でカイロ大学を首席で卒業したのなら、そのことを全国民、全都民に誇っていいはずです。なんで逃げ回っているんですか。逃げ回っているということは、実はあなた、真剣にアラビア語をやったことなんてないんでしょ。もし嘘で華やかな世界を渡り歩き、成り上がってきたんだとしたら、それは血のにじむような努力をして苦しみ抜いて語学を学んできた学生に対する冒《ぼう》瀆《とく》です。

そういうタヌキみたいに人を化かすやり方がいつまでも通用すると思うなよって話ですよ。メディアが許そうと私は許さない。面識はありませんが、小島さんもあなたを許さないでしょう。望月衣塑子さんだって許さない（かもしれない）。やりましょうよ、アラビア語対決を。

（2024年3月9日・4月18日）

TBSとは長い長い死闘の歴史がありました

明らかな放送法違反

皆さん、こんにちは、お元気ですかー！

さて、東京15区（江東区）衆議院議員の補欠選挙に私が立候補を表明してからおよそひと月後の4月3日、格闘家で前参議院議員の須藤元気さんという方が、同じ選挙区への出馬会見を開きました。

そのニュースを翌日のTBSのネット配信記事で読むと、「今月28日投開票の日程で実施される衆議院東京15区の補欠選挙に須藤元気前参院議員が立候補すると表明しました」

「江東区を変えて日本を変えます」と須藤さん。何でも変えちゃう気なのね、この人。「右でも左でもない私たちのリアルな生活を取り戻すのです。この選挙で勝利することが日本の政治を変える大きなきっかけになると信じています」。まあまあ、よくありがちな感じですね。

問題は、そこに並んでいる立候補者の顔写真です。本命と目されていた、立憲民主党の酒井菜摘さん、日本維新の会の金澤結衣さん、共産党の小堤東さん。この方は共産党と立憲民主党の共闘によって出馬を辞退されていますね。もう一人、ファーストの会の小池都知事の全面支援を受けながら無所属の乙武洋匡さん。「ご覧の方々が立候補を予定しています」と書いてありますから、この時点では、これですべて……ではありませんね。

ハイ、皆さんお気づきですか。誰かがいないですね。ワシおらんやんけ。おかしくないスか、おかしいッスよ。ハイ、これ明らかに意図的です。じゃなかったら、どうして私がおらんのですか。

いやいやいや、国政政党から出ている人だけを紹介するんですという、もしそういう基準だとしたら何で乙武さんがおるんですか。だって、地域政党の都民ファーストの会が新たに立ち上げたのが「ファーストの会」でしょ。国会議員おらんでしょうが、あれ、諸派ですよ。なんで国政政党の要件を満たしてない団体から出る予定の乙武さんはここに入っていて、私は入ってないんですか。これは放送業者に義務付けられている「放送法の遵守」に抵触しているんじゃないんですか、ＴＢＳさん。

はい皆さん、放送法ってご存知ですか。これは放送事業者が……まあ、言ってみればテレビですが、公共の電波を使わせてもらうかわりに放送事業者が守らなければいけない条項を定めた法律のことです。放送法を遵守することが放送業者には義務づけられている。

ハイ、その第４条に、こう書かれています。

〈放送事業者は国内放送及び内外放送の放送番組の編集に当たっては、次の各号の定めるところによらなければならない〉

お前ら報道する時はこれを守れよということです、ハイ。以下——

1　公安及び善良な風俗を害しないこと。（これはよく害してますよね）

2　政治的に公平であること。

3　報道は事実をまげないですること。

4　意見が対立している時は、できるだけ多くの角度から論点を明らかにすること。

ところが、ＴＢＳは、この放送法第４条第２項に反しています。政治的に不公平です。なぜなら私を立候補者リストから意図的に外しているからです。

意図的にというのは、他の放送事業者のチャンネルでは私のことをちゃんと扱っているからです。扱っているところもあるということは、ＴＢＳが知らないということはありえないんですよ。だって、ＴＢＳ系列のメディアも私の会見にちゃんと来ていたんですから。

いやいやいやいや、知らないなんて言い訳にならないんですよ、あなた。ＴＢＳさん、放送法第４条第２項「政治的公平性」を守ってないですよね。あなたたち、法律に違反してますよね。

なぜＴＢＳがまるでイジメみたいに私のことをリストから外したのか。理由はわかっています。簡単です。私のこと嫌いだからですよ。それはわかっています。でもね、嫌いだからって、公共の電波を使っている以上、好き嫌いで報道をねじ曲げちゃいけないんですよ。いくら嫌いでもね、不公平な報道をしちゃいけないんですよ。なぜなら法律で決まっているからです。日本国民は、放送事業者は、ＴＢＳは法律を守らないといけないからです。

じゃあ皆さん。なんでＴＢＳは飯山陽が嫌いなのか、簡単にご説明しましょうね。実は、飯山陽とTBSの間には、長い闘争の歴史があるのです。話せば長くなるので、最近のわかりやすい例を二つほどお話しすることにします、ハイ。

飯山陽vsTBSの第1話は、2022年の「須賀川拓《すかがわひろし》との戦い」です。須賀川氏というのはTBSのロンドン在住の自称戦場記者で、中東特派員という肩書なのに実は中東に住んでいないというだけで何かずっこけそうな感じの人ですが、とりあえず自分は戦場を取材しているというのが彼の自慢でした。そこで2022年、『戦場記者』という自ら監督と主演を務めた映画を制作したわけです。

映画は前宣伝が重要ですから、『戦場記者』も、「ガザ、ウクライナ、アフガニスタンをはじめとして世界の戦地を徹底的に歩く戦場記者、須賀川拓が理不尽かつ残酷な戦争の真実を突きつける（ドーン！）」「12月16日 公開決定！（ドドーン！）」という宣伝がX（当時ツイッター）にも流れてきたわけです。もちろん、公式イメージ写真もドドドーン！と出ていました。

ところが、その写真を見た私は「あれ？ これ戦場の写真じゃないやん。事故現場写真じゃん」とすぐ気づきました。だって私、中東研究者だからね、中東でどんなことが起こっているか逐一ウォッチして解説しているんですから、当然です。

それは、リュックサックを背負った須賀川氏がレバノンの港で起こった爆発事故現場をボケッと突っ立って眺めているだけの写真でした。世界の戦地を徹底的に歩く戦場記者があんた、いくら雰囲気がそれっぽいからといって、よりによってなぜ事故現場の写真を使うんですかって話ですよ。ホントに世界各地の戦場を歩き回っているんでしょうかっちゅう話なんですよ。

それで、これは戦場ではない、事故現場だってツイートしたら、「偽装だ！」って話がバーッと広まってしまって、その結果どうなったかというと、映画のイメージ写真が急きょ差し替えられたわけ。おそらく須賀川さんて人、私に対して恨み骨髄に徹したんでしょうね。それ以来、何かというとＳＮＳで私の悪口をせっせと書き込んでいます。

それはともかく、この戦場記者をめぐる２０２２年の飯山陽vsＴＢＳの戦は私の完全勝利、完勝に終わりました、ハイ。

私はヴォルデモート卿か！

そしてその第2話は２０２３年11月、ＴＢＳの看板番組「サンデーモーニング」のフェイク画像を巡る戦いです。

これ、ご記憶の方もいらっしゃるんじゃないかと思うんですが、フェイクニュースを垂れ流すので有名な同番組内で、「ハマス幹部がプライベートジェットを乗り回したり、カタールのホテルでセレブ生活を送っている写真は生成ＡＩで作られたフェイク画像だ」と紹介されました。あの、パレスチナのガザ地区を支配しているハマスです。「サンデーモーニング」は、「弱者であるパレスチナ人のために命懸けで戦っている（はずの）ハマスの幹部が、外国で贅沢三昧なわけがない」と思ったのでしょうね。

そんなのは全部ウソだ、フェイクだ、ＡＩだと騒いだのです。

それらの画像がＸに上がったのをたまたま私も目にしたのですが、「あれ？　この写真見たことあるよ。こっちの画像も知っているよ。私が２０１１年から２０１５年まで、10年ぐらい前、エジプトに住んでいた時に現地で話題になった写真だよ」というようなものばかりでした。

「その頃って、まだ生成ＡＩは一般には広まっていなかったんじゃないか、これ普通にリアル写真だよ、別にフェイクじゃないじゃん」と思って私、ちょっと調べてみました。そしたらどの写真も、どこでいつ公開・発表されたものかということが特定できました。ネットで調べれば、いまどきそんなことはすぐわかるわけですよ。いわゆる生成ＡＩがオープンになる以前から存在する写真だということは、これらの写真がフェイク画像であるというサンデーモーニングの報道自体がフェイクだということです。

だから私はそのことをYouTubeで訴えました。「これらの写真は本物である。証拠は上がっています。フェイクだと主張するあなた方の番組がフェイクなのです」と。

そうしたら「サンデーモーニング」が番組のホームページで訂正・謝罪したんです。「これは生成AIによって作られた画像ではなく、2014年以前から出回っていた可能性が非常に高いことが分かった」というんですが、いやいやこれ、「まだ生成AIが登場する前に私がエジプトに住んでいた時から、出回っていたもんね」とYouTubeでしゃべった直後に訂正したくせして、私の指摘に全く言及していないんですよ。たとえば、「中東研究家・飯山陽さんのご指摘により」なんて1行も書いてない。まるで自分たちが検証した結果、みたいな言い方です。

つまり飯山陽vsTBS第2話も、わたくし飯山陽の完全勝利に終わったわけです。これってすごくないですか。だって、戦場記者の話だって、私が「これは戦場じゃない、事故現場だ」って言わなければ、このまま映画公開されていたんですよ。「サンデーモーニング」の件にしても、私が指摘しなければ、訂正されないまま事実として残るんです。実のところ、あんな小さな文字でホームページの片隅に載せただけでどれほどの人が気づいたかはわかりませんが、それでも、ハマスの幹部がつましい生活をしていると思い込んでいる視聴者が圧倒的多数を占めている中で、一人でも真実を知る人が増えればそれに越したことはありません。

だから、TBSが飯山陽のことを嫌いなのは当然で、非常にわかりやすい。偏向報道をすぐに拡散して訂正・謝罪に追い込まれる。TBSにとって飯山陽という名前はタブーなんです。私は「ハリー・ポッター」のヴォルデモート卿か！

だからと言って、立候補者の中から私の名前を外していいということにはならないでしょう。あいつ目障りだから、そんなやつはいなかったことにして、ハブしてやろうぜ。そうだそうだ、もともと泡沫だけど、嫌いだから放送で取り上げるのはやめようぜ——それがTBSです。

そんなところに政府が電波を使う許可を与える必要があるんですか。自分たちに恥をかかせるようなヤツは存在しないことにする。自分たちの好き嫌いで偏向報道する。これは民主主義に対する敵対行為ですよ。視聴者に対して公平かつ公正で必要な情報を与えない。明らかな放送法違反じゃありませんか。

ＴＢＳは電波を私物化して好きなように操っています。自分たちの主義主張イデオロギーを広めることに電波を悪用する。こういうことはもう本当にやめさせなければいけません。総務省はどうして免許を取り上げないのか。なぜのさばらせておくのか。どうしてもっと声を大にして批判しないのか。

怖いからですよ。マスコミに目をつけられたら生きていけないって、そう思っている政治家や既得権益を得ている人たちがいるからですよ。だから偏向メディアに対しても平身低頭する。

だけど、偏向メディアが情報を支配して、印象操作できるような時代は、もう終わっています。

８年前の米大統領選を思い出してください。アメリカのメディアは自分たちが泡沫扱いしたトランプ氏に敗れ、絶対視していたヒラリー・クリントンをホワイトハウスに送り込むことができなかった。その反省から、４年前の２０２０年からはトランプを非難し続けています。トランプ大統領に対するメディアの悪口のすごいことすごいこと。覚えていますよね。

日本のメディアも、いわゆる国際政治学者とかわけ知り顔の専門家とか、元外務官僚とか、みんな米メディアに追随していまもトランプの悪口の言い放題です。それでもトランプの岩盤支持層は揺るがない。再選するようなことがあったらどうしようと戦々恐々としています。

だから、これはもう既存メディアがコントロールしきれないわけですよ。以前のようにメディアが自分たちに都合のいいリーダーを民衆に押し付けられなくなった。逆に言えばメディアに迎合する人間が必ずしも選ばれなくなった。それをすでに8年前に証明したのがあのトランプという人だったんです。

ヨーロッパでもそうです。この政党は極右だ、あいつは危険人物だと非難される人たちがいま政界で脚光を浴びている。メディアがレッテル貼りに大忙しなくらいです。イタリアのメローニ首相がそうです。オランダでも極右と言われる自由党が下院の第1党になりました。イギリスではリフォームUK（英国改革党。旧ブレグジット党）という新しい政党がいま勢力を伸ばしていて、英国保守党なんて「あいつらは保守じゃない、保守偽装党だ」って言われている。日本の自民党のようなものですよ。

日本でも、TBSのような偏向メディアが選択肢を狭め、自分たちの都合のいい世論に誘導するような、そういう時代は終わりつつあるということを、みんなが認識すべきです。

私のような人間が少しでもフェイクニュースや偏向報道に対して声を上げていくうち、みんなどんどんテレビを観なくなり、新聞に見向きもしなくなります。

新聞なんて誰も読まない。読んでいるのは私ぐらいのものなのに、感謝されるどころか、私が立候補しても、新聞のほうが私のことを無視するんですからね、ひどい話ですよ。ま、いずれ近いうち飯山陽vsＴＢＳの新たなエピソードなどお話しできれば楽しいかな……と思っております。

（２０２４年４月４日）

次の敵はラスボスＮＨＫだ

乙武46秒、飯山15秒の差は何なのだ？

さて、今回は皆さんにまずお礼を申し上げなければなりません。

まさに皆さんのおかげで私、ＴＢＳにまたも完勝いたしました。前項で取り上げた、東京15区補選立候補者の中で私の名前と顔写真だけを除外したのは違法ではないか、放送法第４条２項に反しているのではないかとＹｏｕＴｕｂｅでライブ配信したところ、多くの皆さんがこれに反応してくださってX上が超バズった。大バズりですよ。ＴＢＳ、飯山陽、日本保守党、偏向報道、放送法違反……これらのキーワードがグワーッとバズって、かなり多くの方が ＴＢＳに抗議してくださった。

参議院議員の浜田聡さんという方は総務省にこの放送法違反問題について問い合わせしてくださったということで、この方とまったくご面識はないのですが、とりあえずこの場を借りてお礼申し上げます。私を応援してくださった皆さん、本当に ありがとうございました。こういう一般の民の声には歪んだ権力を正す力があると考えざるを得ません。だって、ほんの昨日、私のことをガン無視したＴＢＳの同じ番組が、今日は特に脈絡もなく東京15区をもう一度取り上げて、そこに私の顔と名前を「諸派」として掲載したんですから。だけど、それに使った私の写真の人相の悪いこと、悪いこと、悪いこと。実にひでー顔の私を取り上げております。

でも、はっきりとは言っていませんが、これ訂正報道ですよね。はっきり言って、ね、そうでしょう。ハイ、だったらひと言ちゃんと謝るか、せめて注釈を付けたらどうですか。「こいつがあんまり憎たらしいから昨日は外しましたが、抗議がうるさく来るし、よく考えてみると無視するのも放送法上マズいみたいだから、悔しいけれど載せときました」みたいに正直に言うのならまだしも、昨日のことを糊塗《こと》するかのようなこんなやり方は卑怯ですよ、ＴＢＳさん。

これで私はＴＢＳに関しては３連勝ということになりました。とちょっとばかり気をよくしていたら、またまた新たな敵が……というより、旧敵というか、年来の仇敵というか、ラスボス的存在（最終局面に登場するボスキャラ）というか、実はあのＮＨＫなのです。

私自身は直接見ていないのですが、朝の時間帯に東京15区の状況を報道する中で、私以外の候補は皆さんＸのポストによる映像を使っていたのに、私だけ静止画で、しかもむっちゃ人相の悪い、指名手配の容疑者みたいな写真を載せて、しかもやたらに短い紹介だったそうです。えーっと、乙武洋匡さんはトップ扱いで46秒。飯山陽は15秒。３分の１以下ですよ。

この扱いの差は、いったい何でしょう。乙武さんだって、いくら小池百合子都知事が推しているからって、名目上は私と同じ無所属諸派でしょう？　同じ条件にもかかわらず、放送時間が３倍以上というのは明らかに放送法第４条第２項、放送事業者は政治的公平性を守らなければいけないという条項に引っかかるんじゃありませんか？

しかもＮＨＫはわれわれ一般国民から受信料というのを税金のように強制的にふんだ

くって、そのお金で放送事業を賄《まかな》っている公共放送ですよ。その公共放送が政治的公平性を著しく欠く報道をしてよいものだろうか。いやいや、決して許されるはずがない。

そう言えば思い出したことがあります。確か2020年の予定がコロナの影響で1年延期されて無観客で開催された東京オリンピック、私、あの時タイに住んでいて、ちょうど日本に帰国したタイミングで、日本国のルールに従って、ホテルに監禁されながら開会式を観たんです。

あれって、各国代表が1カ国ずつ入場するたびに、その国の紹介をするじゃないですか。それでイランが入ってきた時、NHKのアナウンサーがイランのことを「アラブの国」って言ったんですよ。で私、それを聞いて「は？　イランはアラブじゃねえけど」と思って、ついツイッターでつぶやいたんですよ。

そのツイートがバーッと拡散されて、しばらくした後、アナウンサーが「先ほどイランはアラブと紹介しましたが、間違いでした。申し訳ありません」とか言って修正されました。それが、私・飯山陽vsNHKの戦いの第何ラウンドになるのかなあ、私はNHKとの間でもけっこう戦っていて、何度か勝利を収めていますから、実はNHKからもかなり嫌われているんです、ハイ。

しかし、だからといって放送事業者が、とくにＮＨＫのような公共放送事業者が自分の好き嫌いによって政治的公平さを歪めるのはいかがなものか。他の候補予定者に関しては尺を目いっぱい取り、動画を使ってその人の主張を過不足なく伝えるのに対し、ある特定の立候補者については放送時間を極端に減らし、動画を使わず、静止画の、しかも極端に人相の悪い静止画だけを使って申し訳程度に放送する。皆さん、これは決して許してはいけないことです。あのＴＢＳでさえ、翌日訂正の放送をしました。ＮＨＫはこのままにしておくつもりなのでしょうか。

次のラウンドはＮＨＫでございます、ハイ。何かと敵が多くて大変ではありますが、今度はＮＨＫとも戦ってまいりましょう。そういえばＮＨＫとなんとかする党、というのがありますよね。ＮＨＫから国民を守る党、でしたっけ。いまは「みんなでつくる党」って言うんですか、そうですか。私、個人的には何のお付き合いもございませんが、ＮＨＫに関しては、確かに偏向報道などとは夢にも思わず、いまだにＮＨＫは正しいと思い込んでいる方がまだまだ世の中にたくさんいらっしゃる。

ですから、ＮＨＫが言っているからといって正しいとは限らない、いやむしろＮＨＫが率先してものすごく偏向した情報を流していて、それがわれわれ国民の知る権利を妨害するだけでなく、国民のメディアリテラシーを下げ、国民の不利益に直結しています。あ、TBSの件で総務省に問い合わせをしてくださった浜田聡議員、あの方はNHKから国民を守る党におられた方なんですか。そういうことでしたか。その節は本当にありがとうございました。私は未だ何の力もないそこらの中東研究者でございますが、日本と日本人のために、ぜひ一緒に頑張ってNHKの偏向報道を正していきましょう。

（2024年4月5日）

読売新聞とタレント鈴木紗理奈の罪状

私を「など」ですませた読売新聞

皆さん、お元気ですかー！

ようやく選挙戦を終えたら終えたで、選挙期間はほとんど何もできない状態でしたから、いまだにやらなければいけないこと、行かなければいけないところなどが山積みの状態なんですね。というわけで、私の大々大好きな読売新聞もスキマ時間にササッとめくったりしてすましていたありさまです。

読売新聞グループといえば、最近は飯山陽の名前に言及したり、「飯山陽」という文字を使用したり、「イイヤマアカリ」と発音したりすると、原因不明の発熱と痙攣症状を引き起こすので、そのため飯山陽については1行たりとも報道できないという病気にかかっているのではないかとすら疑われる、ある意味かわいそうなメディアなんですけれど、今日たまたまパラパラと眺めていたら、「選挙の妨害　言論の自由をはき違えるな」というタイトルの社説（2024年5月10日付）が堂々と掲載されていました。

何の話かと思ったら、衆院東京15区の補欠選挙のことで、

〈言論の自由や選挙の自由は、憲法で保障された大切な国民の権利だ。だからといって、これを濫用《らんよう》して誹謗《ひぼう》中傷や恫喝《どうかつ》まがいの言動を繰り返すことは許されない〉

と書いてある。いやいやいやいや、まったくそのとおりですよ、読売新聞さん。憲法第二十一条には「集会、結社及び言論、出版その他一切の表現の自由は、これを保障する」とも書いてあります。だからと言って、立候補者の名前を勝手に消していいわけがないでしょう。公正に報道しなさいよ。

選挙と言論の自由をはき違えるなよ。読売さん、あんたもな。

選挙に出ている立候補者の名前を、有権者と読者の目に触れさせまいとすることは「言

論の自由の濫用」にあたらないと、本気で考えているんですか。発行部数日本一の新聞が、ですよ。

しかも、選挙の投開票から2週間近くたっても、「飯山陽の名前を書けない」病はまだ治癒していないどころか、いよいよこじれているようです。5月10日の社説でも、こんなふうに書かれています。

〈先月行われた衆院東京15区の補欠選挙で、政治団体「つばさの党」の候補者とその陣営がとった行動が波紋を広げている。

他候補の街頭演説に出向き、拡声器を使って「クズ」「売国奴」などと大声を出し、演説を遮った。他候補の事務所前に押しかけ、大音量を流したこともあった。

また、つばさの党は一連の行動を動画投稿サイトに配信した。過激な行動をアピールすることで注目を集めようとしたのだろう。

被害を受けた立憲民主党や日本維新の会などの陣営は、演説日程の事前告知をやめたり、回数を減らしたりせざるを得なかった〉

見てください、わかりますか。「飯山陽」という私の名前、そして日本保守党という政党名、いっさい出てきません。「他候補」「他候補の事務所」「被害を受けた立憲民主党や日本維新の会など、、」とあるだけで、実名は故意に消されています。ここに挙げられている「他候補」というのは私のことです。それなのに、「など」ですませているのです、読売新聞というのは。

映像を観ていただければわかると思いますが、連中が最も執拗に攻撃したのは私だった。その理由はだいたい察しがつくので、いずれ話したいと思います。立憲民主党や維新の会の候補への妨害行為は、私に対するそれと比べると茶番、あるいは馴れ合いのプロレスのようなものに見えました。

「もう事前告知はやめたい」とか言っているけれど、泉健太立憲民主党代表や維新の吉村洋文大阪府知事が応援に来たときは、ちゃんと警察が来てあんたらを守っていたじゃありませんか。それに引き換え、われわれ日本保守党には警備がついたことなんか一度もありませんよ。われわれの街宣活動に対する執拗な攻撃、その卑劣な罵声の動画の一部を私、Xでシェアしましたが、見てもらえましたか？

いいですか、「拡声器を使って『クズ』『売国奴』などと大声を出し、演説を遮った。他候補の事務所前に押しかけ、大音量を流したこともあった……」、それだけじゃないですよ。そんなヤワなもんじゃありません。動画を観ていただければ一目瞭然です。

だいたい、日頃から「言論の自由」なんて偉そうなことを言っといて読売もろくに取材もせず、見て見ないふりをする。そもそもわれわれは大手メディアが取り上げようともしない弱小政党ですよ。それが最も過激な妨害を受けている。そのことにすら言及しない、どころかあえて隠そうとする。それが読売新聞です、それが大手マスコミです。マスゴミと言われる所以です。メディアの役割というものをもう一度考え直したほうがいいよ、どこの広報機関なんッスか、あんたら。

鈴木紗理奈は女の敵です

この問題について私は、メディアのみならず、そのメディアに出て偉そうにあれこれ言ってる評論家だかインフルエンサーだか芸能人だか知らんけど、そういった連中がいかに無責任な発言をしているかということに改めて気づきました。その最低かつあからさまな例が鈴木紗理奈というタレントです。

その鈴木紗理奈とかいう人が5月5日に放送された「サンデージャポン」というテレビ番組に出ていたんですが、私、この番組知らないですね。え、TBSの番組？ でもTBSって、日曜はあの悪名高い「サンデーモーニング」をやっているじゃん。え、もしかして、あの後の時間帯にそんな代わり映えしない番組をやっているわけ？　まあいいや。

とにかくその番組で、「つばさの党」の選挙妨害活動のニュースを流した後、鈴木紗理奈さんを含む〝ご意見番〟と称する、誰だお前、知らんぞっていうタレント連中があーだこーだ言いたい放題の中で、この鈴木紗理奈さんがこんなことをグダグダと言ったわけです。

〈つばさの党のやり方は間違っていると思うけど、少数派や反体制派の意見はテレビで取り上げられないじゃないですか。そういう意見の人たちはこれまで体制に消されてきたんですよ。で彼らの選挙妨害に共感した人たちが、そうそう、何もやってくれないよね。そういうところに切り込んでくれないよねっていう不満を持った人たちの心を、やっぱり煽ったと思うんですよね〉

鈴木紗理奈さんの言い方は典型的な「イエス・バット……論法」です。彼女は、「つばさの党のやり方は確かに間違っている（イエス）。しかし（バット）、彼らは少数派・反体制派の代表である。少数派とか反体制派の意見は正義である。しかし、テレビとか権力や体制によってつぶされ、消されてきた。あの人たちはそういうかわいそうな意見を代弁しているだけなんだ」、そう言って、あの無法者たちを正当化しているわけですよ。あの連中のやっていること、罵詈雑言《ばりぞうごん》、誹謗《ひぼう》中傷をやむを得ないものだと弁護しているわけですよ。

どこで？　自分が依って立つテレビの生放送ですよ。鈴木さん、あなた自分の立場が分かっているのかって話ですよ。

いいですか、鈴木紗理奈さんとやら。あなた、あの連中が何をしたか知っているんですか。誰に対して具体的にどんなことを言ったのか知っていて、そういうことを言うんですか。あなた、あの連中のことを少数派・反体制派の代表だって言っていますよね。私、体制側の権力者ですか。私にどんな権力があるって言うんですか。何もないッスよ、一介の働く母親ですよ。あんたと違ってテレビに出て知りもしないことを無責任に言いふらす権限もないんですよ。

権力も何もない、テレビタレントほどの発言力も持たない私が選挙に出て、それで受けたのがあの妨害ですよ、誹謗中傷ですよ、下品な罵詈雑言ですよ。私のどこが体制で、あいつらのどこが反体制なんですか。言ってみてくださいよ。

何が体制に消されてきた反体制派の声だよ。バカにするのもいい加減にしなさい。というより、知らないのに、いい加減なこと言うんじゃないよ。

結局、鈴木紗理奈みたいな連中は、テレビで少数派の味方だとか、反体制の立場にあるようなことを言えば立派な人に思われる、好感度が上がる、金が稼げる、それしか考えていないのでしょう。あんたみたいな人のことを何ていうか知っていますか。「偽善者」というんです。飯山陽が「権力者」なら、あんたは「偽善者」です。

そもそも連中が私に何を言ったか具体的に知っているんですか。知らないでしょ、知らないで言ってるんでしょ。読売新聞には拡声器を使って「クズ」とか「売国奴」と言ったと書いてあるけれど、そんなのどうってことないですよ。教えてあげましょうか、鈴木紗理奈さんとやら、まず、こうです。「イスラエルの犬・飯山陽」。

これ、テープにも録って何百回となく延々と繰り返していました。鈴木紗理奈さん、これがかわいそうな反体性派の少数派の意見なんですか。それを、図体のでかい中年太りの自称若者が私という一人の女に面と向かって怒鳴るのが正義なんですか。これがテレビや体制派によって消されてきたかわいそうな少数派の意見なんですか。

ほかにもこんなことを言っていました。

〈アメリカの犬・飯山陽、出てこいよ。おい、飯山、おまえ目パキッてるぞ。憎くて仕方ないんだろ、俺のことが。目パキってんぞ、飯山！〉

はい、これが体制によってかき消されてきたかわいそうな少数派のご意見ですか。これを私は尊重して重く受け止めろとでも言うんですか。鈴木紗理奈さん、あんたの言っているのはそういうことなんですよ。まだありますよ。

〈あれ飯山本人だよ。あのおばはん、キチ××みたいな顔して終わってんだろ。あれほら飯山、飯山本人。何やってんの出てこいって。みんな見てるよ、飯山本人だろ。動画を撮ることしかできねんだよ、こいつ。面白すぎるよね。あはは、これヤバいぜ。おいおいい飯山出てこい！〉

ハイ、鈴木紗理奈さん。これのどこら辺が体制によって消されてきたかわいそうな少数派の意見なんですか。どうやって擁護するのですか。女が公道で、しかも警察署の前で、大音量で同じことを繰り返し、繰り返し言われてみなさいよ。どんな気持ちがする？　あんたも女でしょ。わかりませんか。しかもそれが世界に向けてＹｏｕＴｕｂｅで配信されているんです。しかも彼らはこの暴言で金を稼いでいる。私は世界80億人の前で嘲笑され、恥ずかしめを受けたうえに金稼ぎの道具に使われているんですよ。そんなことをするのがあんたの言うかわいそうな少数派なんですか。それで金を稼ぐのが言論を封殺されてきた哀れな反体制派なんですか。ふざけんじゃないよ。

何があったか知りもしないで〝弱者の味方〟を気取って、本番が終わったら「ハイお疲れさまでしたぁ～」かなんか挨拶して、それでギャラもらって。あんた、恥ずかしくないんですか。

こういった選挙妨害の連中は相手にしないに越したことはない。答えないのは卑怯だというけれど、いったい何を答えればいいって言うんですか。「おまえ、マジで東大で博士号を取ったのか」って言われたって、「小池都知事に続く学歴詐称疑惑か」なんてネットに書き込まれたって、「ハイ、取りましたが、それが何か」と答えるしかありません。〈飯山なんだ、おまえ欲求不満か。飯山陽48歳。ヘイヘイヘイ。おまえ、何それ。俺とチューしたいの？　責められて興奮するたち？〉

こういうのが彼らの〝質問〟ですよ。そんなのに真面目に答える必要がどこにあるんですか。世界80億人に向けて配信されているＹｏｕＴｕｂｅで、どう答えれば満足するんですか。読売新聞さん、無責任なメディアの皆さん、それに鈴木紗理奈さん。

どこまで人を痛めつけたら気がすむんですか。私にだって尊厳というものがある。それが守られるのが日本という国の有難さだったはずです。

鈴木紗理奈さん、あんたのその無責任な偽善的なコメントによって、私はもう一度傷つけられたんですよ。そのことをなんていうか知っていますか。「セカンド・レイプ」って言うんですよ。

あんたは完全に女の敵です。被害者を再び傷つけることをテレビで堂々と言い放ったあんたは加害者です。連中の仲間です。忘れないでください。私は絶対に忘れません。

読売新聞をはじめとするマスメディアの皆さん。あんたらの言うこと、やっていることはあの異常な連中とまったく変わりません。言いたい放題の無責任な批評家連中、文化人面したタレント連中全員があいつらの仲間です。一緒になって私のことを痛めつけている方々、わかっているんでしょうね。それ相応の罰は受けていただきますよ、覚悟しなさい。私がただで引っ込むと思いますか。この私がやられっぱなしのわけがないじゃありませんか。福島瑞穂さん、立憲民主党の米山隆一議員その他、私を攻撃してやまない一部の政治家連中も同罪です。

はい、どういう罰を受けるのか、どういう罪を負うことになるのかは、その時に気づけばいいんです。私は何者にも負けない女なんですよ。これまでもいろんな敵と戦ってきました。イスラム過激派とも戦ってきたんです。なめてもらっちゃ困りますぜ。

（2024年5月10日）

〈あとから一言〉5月17日、警視庁捜査2課は衆院東京15区補欠選挙で「つばさの党」が他候補の街頭演説を妨害したとして、公選法違反容疑で同党代表ら3人を逮捕した。

第2章

中東を知らない
亡国の中東専門家たち

池上彰さん「ニュースうそだったのか‼」の醜悪さ

スターリンは子供好きなおじさん

皆さん、こんにちは、飯山陽です。お元気ですか！

さて、テレビ朝日で毎週土曜日、『池上彰のニュースそうだったのか‼』というバラエティ番組が放送されています。もう10年も続いている人気番組だそうで、そう言えば私も、これまで何度か池上彰さんがこの番組でウソぶっこいていらっしゃるのを指摘したことがございます。

先日の放送（2023年11月25日）でも、言うに事欠いて、「ハマスはもともとボランティア団体だった」と、こういうとんでもないことを言っていたんですねえ。10月7日に、イスラエルの一般市民に対して、残虐なテロ行為を行った、あのハマスがですね、ボランティアだったって。どういうつもりでこういう番組をつくるのでしょう。

私の読者は分別のある方が多いので、ご覧になった方は皆無に近いでしょう。よろしい、私がご説明します。まず、こんなナレーションから始まります。

〈緊張状態が続くイスラエルとハマス。ハマスはロケットを打ち込んだり多くの人質を取ったり、過激な行動をしていると言われているけれど、実はハマスは……〉

ここでテロップがダダダダッと流れます。

〈ハマスはもともとボランティア団体だった！〉

そこでカメラがスタジオにパッと切り替わり、松村沙友里さんというタレントさんと女優の高畑淳子さん2人の女性の「ええっ」というポカン顔がアップになります。ありがちですねー、テレビには。

そしてナレーションは続きます。

〈パレスチナ人が住むガザ地区を実行支配するハマスは、アメリカなどからテロ組織に認定されているが、もともとは貧しい住民のために手助けするチームで、民衆のヒーロー的存在だった〉

皆さんちょいと、聞きました？　もとは貧しい民衆のヒーローだって。いや、そんなこと言ったら、どんなに凶悪な悪いやつだって、生まれた時はみんな無邪気な赤ちゃんだったんですよ。だからどうしたっちゅう話ですよ。もとがなんであろうが、テロをしたらテロリスト。日常的にテロをやっている組織はテロ組織です。昔が何だったかなんて、いまは関係ねえだろってことですよ。論点ずらして何企んでいるんや。

この池上彰さんとテレビ朝日は、公共の電波を使って、テロ組織ハマスの宣伝をしているっちゅうわけです。「スタジオにいるタレントや女優、視聴者も、みーんなおバカだから、ハマスのことを悪いテロ組織だって思っているでしょう。ところが、違うんだなァ。ハマスは貧しい人たちを助けに来たヒーローだったんだよ」と教え諭《さと》してくれているわけですね、ハイハイ。

池上彰さんは続けて、こういった趣旨のことをおっしゃいます。

〈あんな過激なことをやっているハマスが、パレスチナの人たちからそこそこ支持されているのはなぜか、ってことなんですね。

ハマスの母体となった組織というのは1970年代からイスラム教徒の貧困を救済するためさまざまな社会事業を行っていた。パレスチナの貧しい人たちを救いましょうということで例えば学校を作ったり、病院や託児所、スポーツクラブを作ったり、あるいは貧困層に食料を配ったりということをしていたんですね。だからハマスというのはパレスチナ人たちの絶大な支持を得ていたんですよ。もともとそういう支持基盤があったんですね〉

そこに「貧しい人たちの味方であるはずのハマスがどうして過激な組織になってしまっ

たのか⁉」というナレーション（合いの手）が入り、再び池上さんが続けます。

〈今はオスロ合意（1993年）というのができて、ヨルダン川西岸とガザ地区はパレスチナ人の自治が認められているでしょう。それまではパレスチナもイスラエルが占領していたんですよ。だからパレスチナの人たちがイスラエルの軍事占領に対して抵抗運動を起こしたんですね。それが「インティファーダ」（民衆蜂起）。その後も大規模な抗議活動が盛り上がってくると、「福祉活動だけではだめだ、やっぱり武装した実力部隊を持たねばならない」と考えたハマスが軍事部門を持つようになり、軍事組織となって、やがてテロを起こすような組織になっていったということです〉

もともと福祉団体だったのに、イスラエルに弾圧されたから軍事組織になってテロを起こすようになった……。ん？　結局テロ組織だってことじゃないですか。

でも、テレビ朝日と池上さんの言い方はそうじゃない。「ハマスはテロに走ったけれど、なんでそうなったのかというと、それはイスラエルが悪いからだって」言うんですよ。

10月7日に、ハマスが突然イスラエルの民間人相手に大規模なテロ攻撃を仕掛け、むごたらしいやり方で1200人以上ものイスラエル人の命を奪った。問題はそこですよ。

ところが池上さんたちは、いやいやいやいやいや、ハマスは福祉団体なんだ、いい人たちなんだよ。そのいい人たちが武力を用いるまでに追い詰められたのイスラエルのせいなんだ。違う違う違う違う、加害者はハマスじゃなくてイスラエルなんだよ、みんな知らないかもしれないけれど、ハマスはいい人たちの集まりで、実は被害者なんだよと言いたいわけですね、ハイハイ。

ハマスはテロ組織じゃなくて福祉団体なんだというこのすりかえ、これね、皆さん聞いたことありませんか、「スターリンは子供好きなおじさん」の論理と全く同じなんですよ。

今でこそ、ソ連の独裁者スターリンが病的なまでに粛清を繰り返し、政敵、同胞、民間人、それこそウクライナ人に至るまでどれほど多くの人命を理不尽に奪ってきたか、皆さんよくご存じだと思います。

そのスターリンが1953年に亡くなった際、朝日新聞は同年3月7日付夕刊の「こども欄」で、その死をこういう見出しで報じたんですよ。

〈子供ずきなおじさん　まずしかった少年時代〉

わかりますか。スターリンは「子供ずきなおじさん」、つまり本当はやさしい、いいおじさんだったんだよって言っているわけです。「スターリンはこの貧しさの中に育ったので早くから貧乏な人に対する温かい同情があった」なんてことも書いてある。池上さんの番組の「ハマスは貧しい住民のために手助けする民衆のヒーロー的存在だった」という言い方とそっくりじゃないですか。

まだ共産主義もスターリンがどういう人間かも知らない無知で無垢な子供たちに、新聞という権威を笠に着て、俺たちが教えてやるとばかりに一方的なプロパガンダを吹き込んで洗脳したわけ。それと同じことを池上彰さんはやっているんですよ。

非常に興味深いのは、実は朝日小学生新聞（2023年10月24日）の一面トップに、「イスラエル　パレスチナ　はげしい争い、なぜ?」という特集記事が載っていて、そのサブタイトルに「社会福祉団体、武装組織、政党　三つの顔を持つハマス、パレスチナの国づくりめざす」とある。「専門家に聞く」ということで、東京大学特任准教授鈴木啓之氏が、「ハマスは福祉団体なんだ、武装組織というのはハマスのほんの一面に過ぎない、本当はいい人たちなんだ」と解説しているわけです。

朝日は71年前の「スターリンは子供ずきなおじさん」というプロパガンダを、いまも繰り返している。そしてこの鈴木啓之特任准教授の解説をそっくりそのまま九官鳥のようにテレビでしゃべっているのが池上彰さんというワケなんです、ハイハイ。

つまり朝日新聞、テレビ朝日、東京大学特任准教授、それに池上彰、みんなでグルになってこう合唱しているのです。

〈ハマスは福祉団体です。ハマスは貧しい人たちを助けるいい人たちです。ハマスのことをテロ組織だと思っているあなたは低脳です。それは間違いです。私たちが正しい認識を教えてあげるから言うことを聞きなさい。池上彰は何でも知っています。ハマスはボランティア団体です。東京大学の鈴木啓之先生もそうおっしゃっています。朝日小学生新聞にも書いてある。これが正しいんです。ハマスのことをテロ組織だと言う飯山陽のような人、あれはバカです〉

せめてハマス憲章を読んでから言え

池上彰は賢者。スタジオにいる芸能人の皆さんとテレビの視聴者は無知蒙昧な愚者。この番組はそういう役回りになっています。何でも知っている池上さんが、何も知らない愚かな人々にものを教えるという体裁で一方的な考え方を刷り込んでいく。こういう人、実はよくいます。主として大手メディアとか東京大学とかに棲息《せいそく》しています。

こういう人たちの特徴の一つは自分の一方的な説を唱えるために歴史を自分に都合のいいところまで遡《さかのぼ》って都合よく歴史を修正、もしくは捏造することです。これが池上さんの得意技なんですね、ハイハイ。

そもそもハマスというのは、エジプトで1928年に結成されたイスラム主義組織「ムスリム同胞団」のガザ支部です。これは別に私の見解というわけじゃなくて、ハマスには「ハマス憲章」という憲法みたいなものがあって、そこに「我々はムスリム同胞団の一翼を成し、そのイデオロギーを踏襲する」とはっきり書いてあるんだから間違いありません。

では、ムスリム同胞団とは何かと言えば、これはハサン・アルバンナーという指導者が、世俗体制をとるアラブ諸国を武力によって打ち倒し、全世界をイスラム法によって統治するために結成した組織です。世俗体制というのは、大統領制とか王制とか、世俗権力者が統治支配することです。例えばエジプト共和国は共和制だから大統領がいる。サウジアラビアは王国ですから国王がいます。王族の皆さん、イスラム教徒っぽい長衣を着てはいますけれど、世俗体制だからイスラム教が統治するイスラム国家ではないんです。

ムスリム同胞団は、アラブのそういう世俗体制と戦い、それを転覆するために作られた。そして、そのガザ地区バージョンとして爆誕したのがハマスです。

創始者は、もともとガザ地区でムスリム同胞団のイデオロギーを広める活動をしていたアフマド・ヤーシーンという人。ハマスは1987年12月に起こったインティファーダを契機として設立されたのですが、彼はそれ以前から武装活動を組織していました。だいたい1982年くらいからだって言われています。

ヤーシーンたちに資金を提供したり、武器調達の協力をしたのがヨルダンのムスリム同胞団です。彼らの援助によって、当面の目標であるイスラエル殲滅《せんめつ》に向け、82年あたりから活動を始め、武器をどんどん集めました。

それがイスラエル当局にバレて、「あいつら、なんか武器とかむっちゃ貯め込んでやがるぜ」っていうわけで、84年にヤーシーンは逮捕されてしまう。

つまりハマスは、ハマス設立以前からテロ組織だった。ボスのヤーシーンもテロリストとして捕まって、その延長線上にインティファーダが起こり、それを機に「ハマス設立宣言」をしたのです。

だから、もともと非武装のボランティア団体だったのがやむにやまれず武器をとったわけではなくて、ハマスは初めっからテロ組織だった。テロ一択だった。目標はイスラエル殲滅とアラブにおけるあらゆる世俗体制の転覆、そしてイスラムによる世界支配です。

それなのに、池上さんは「ハマスはボランティア団体だった！」なんて嘘を平気でつくんです。もうウソ上さんって呼んじゃいますよ、嘘ばっかりついてると。

「ウソ上彰のニュースうそだったのか!!」のスタジオにいる出演者たちは、全員おバカの役を演じます。なかには本当におバカな方もいらっしゃるのかもしれませんが、そこは出演料をもらっているプロのタレントですから、ウソ上先生が言うことにいちいち過剰な反応をして「ええっ知らなかったあ！」という顔で大げさに驚いてみせるのが彼らの仕事です。だから「それ、ちょっとおかしくないっスか」とは誰も言わない。というか、それは言っちゃいけないのがお約束です。とにかく「視聴者というバカ」に一方的に嘘を教える。非常に醜悪な番組ですね。

大体、ウソ上さんってあの人、何の専門家でもないでしょ。もともとNHKの記者で、「週刊こどもニュース」の「お父さん」ですよね。何ひとつ専門的に勉強したことのない人が、どこかで聞きかじった知識を自分なりに、つまり自分の言いたい形にアレンジして、無知な視聴者に一方的に吹き込む、こういった番組が今日まで量産されてきたわけです。

ウソ上さんの勢いたるや、一時はものすごいものがありました。すべてのテレビ局で番組を持ち、森羅万象について語る。書店に行けばウソ上さんの著書が本棚にズラッと並んでいました。ウソ上さんはバカな僕にも私にも「いい質問ですねぇ〜」かなんか褒めてくれながらわかりやすく教えてくれる親しみやすい先生――そう持ち上げられる時代がけっこう長く続きました。これ、本当に嘆かわしいことですよ。

私は中東イスラム研究者だから、ウソ上さんが私の専門分野に関するウソを垂れ流しているときは、それを指摘してきました。どんな分野にも専門の研究者がいるんだから、その人たちがはっきりそれは違うと言えば、ウソ上さんの番組はそもそも成り立たないはずなんです。ところが中東イスラム研究者は全く何も言いません。なぜかわかりますか。

さっきお話ししたように、日本の中東イスラム研究のメインストリームにいる東京大学の鈴木啓之氏が言っていることを、ウソ上さんはそのとおり九官鳥のように繰り返しているだけだからなんですね。

つまり、日本の中東イスラム研究者自身が嘘を言い、それを知名度のあるウソ上さんがテレビというメディアを使って全国津々浦々に広めているわけです。そして、「それは嘘だ！」って言う人が私しかいない。これはけっこう危ない構造ですよ。

テレビって怖いですね。恐ろしい洗脳装置ですね。新聞も怖いですよ。「受験に強い朝日」とか言って、小学生のうちからとんでもない嘘を教え込むんですから。その嘘を教える東京大学の先生も、それをウソ上さんを使って事実に立脚した真実であるかのように広めるテレビも怖い。

ちなみにこの鈴木啓之という方はおそらくＮＨＫをはじめ全テレビ局に出てるんじゃないですかね。それで「福祉団体であるハマスは被害者で、悪いのはイスラエルです」なんて言いふらすから、ハマスのテロによって始まった戦争なのに、いつの間にか日本のお茶の間ではイスラエルが被害者だったことをみんな忘れちゃっています。

鈴木先生だけじゃありません。他にも東京大学の先端科学技術研究センターの池内恵《さとし》教授とか東京外語大の篠田英朗教授、慶応大学の田中浩一郎教授、こういった完全に「イスラエル悪い、ハマスいい人たち、イラン大好き」という先生方が嘘をブワーッて広めているのです。

でも、さすがに普通の知能を備えている人たちを騙し通すのは難しいみたい。だって、2023年の10月7日にハマスが突然イスラエルに攻め込んで、野外フェスティバルの観客とか一般市民を無差別虐殺した衝撃的なニュースを覚えている人は、それでもまだいっぱいいるでしょうよ。それがいつの間にかテレビも新聞も専門家もウソ上さんもみんな揃って「イスラエルが悪い」と合唱しているのはさすがにおかしくないですか。

ハマスがいい人たちなら、なんでパレスチナ人の病人や子供を楯にして病院の下に基地をつくるのか。なぜ学校の下にトンネルを掘って隠れているのか。なんで学校にロケットランチャーを設置してそこからロケット弾ぶっ放すのか。おかしいだろって普通の感覚を持っている人はやはり思いますよ。

ハマス自身、先ほど話に出たハマス憲章の第11条で「パレスチナの地はイスラムのワクフである」と言っています。これは「イスラエルという国家は存在し得ない」という意味です。

ワクフというのは説明すると長くなるし難しいんだけど、簡単に言えば所有権の移転ができない土地ということなんですよ。つまりパレスチナの地っていうのは昔も今も永遠にイスラムの土地だと宣言しているわけ。イスラエルなんてものは存在しない、存在しちゃいけない、存在し得ない。俺たちはそれを奪還するんだと言っているんですね。これはつまりイスラエル殲滅宣言です。

同じくハマス憲章第13条には「パレスチナ問題の解決はジハードによってしかあり得ない」と明記されています。たとえば和平交渉とか国際会議とかアラブ和平イニシアティブとかそんなものでは解決しない、テロ一択だとはっきり書いてあるんですよ。私たちから見れば「テロ」であっても、彼らにとっては「ジハード」(聖戦)だっちゅうことです。

どこかの国が〝憲法〟で平和国家を謳っているのと同じように、ハマスは〝憲法〟でテロ組織であることを高らかに宣言しているんですよ。イスラエルとの対話？　ないないないないありえないないから。国際会議？　ああ無理無理無理無理無理。ハマスにはイスラエルとの共存などという考えはない。病人や子供がいくら犠牲になろうと、イスラエル人を根絶やしにするまで戦いあるのみ、なんです。

そりゃガザの人たちに食料を配ったことくらいあるでしょう。でも、こんな人たちに支配されていたら、パレスチナにはいつまでたっても平和は訪れない。パレスチナ人は解放されない、幸せになれないって話ですよ。ウソ上さんも鈴木先生も、本当にガザの人たちの幸せと繁栄を願っているのなら、いったいなぜハマスを応援するのか。

それはハマスには仲間がいるからです。イランです、トルコです、カタールです。この辺だとピンとこないかもしれないから、もっと言えばロシアです、中国です、北朝鮮です。わかりますよね。

だから良い子の皆さん、ウソ上彰さんの「ニュースうそだったのか!!」を観たり、朝日小学生新聞を読んだりしてはいけません。それより飯山陽のYouTubeチャンネルを観て本を読んで確認して立派な大人になってくださいね。

（2023年11月27日）

寺島実郎さんは「反ユダヤ主義者」？

イランこそ「悪の枢軸国」

皆さん、こんにちは。

さて、２０２３年10月7日、パレスチナのガザ地区を支配するイスラム組織ハマスが突然イスラエル領内に数千発のロケット弾を撃ち込み、イスラエルに侵入した戦闘員が、野外音楽フェスの観客をはじめとする民間人を無差別に殺戮・拉致したことを受けて、毎日新聞が「寺島実郎さんが語る中東情勢『5年、10年先に力学は変わる』」という記事を掲載しています（mainichi.jp ２０２３年12月12日）。

記事はこんなふうに始まります。

〈「今こそ日本外交の基軸が問われている」――。イスラエルとイスラム組織ハマスによるパレスチナ自治区ガザ地区での戦闘が激しさを増す中、日本総合研究所会長の寺島実郎さんはそう語る。イスラエルや米国に長く滞在し、中東問題に詳しい寺島さんに、なぜイスラエルがあれほどパレスチナをねじ伏せようとするのか、日本は何をすべきかを聞いた。

〈聞き手・宇田川恵〉

冒頭からなにがなんだかワケがわかりません。

「今こそ日本外交の基軸」とか言ったって、日本外交には、イスラエルとハマスの戦争に影響を与えるような力など、これっぽっちもないじゃありませんか。

寺島氏のような「外交評論家」や、他の外交官あがりの「専門家」は、何かと言えば「いまこそ日本外交の出番です！」みたいなことをおっしゃいますが、それは自分の言いたいことを言うため、自分のイデオロギーを一般人にゴリ押しするための実体のない前フリのようなものなんです、ハイハイ。

毎日の記者の「なぜイスラエルがあれほどパレスチナをねじ伏せようとするのか」という世間離れした見当違いな質問は、いったいどこから出てきたのか。こういうトンチンカンな物言い自体が、日本のメディアの「中東報道」が全く使い物にならない証拠です。

イスラエルがパレスチナをねじ伏せようとしているなどという現実は存在しません。イスラエルが戦っている相手はハマスです。いいですか。なぜイスラエルがハマスと戦っているかというと、ハマスが10月7日に民間人を標的にした大規模テロを敢行して１２００人以上を残虐に殺し、２００人以上を拉致した。しかもこの攻撃を繰り返すと宣言して、イスラエル殲滅を高々と目標に掲げているからです。イスラエルは「パレスチナ」と戦ってなどいません。

それだけではなく、「中東問題に詳しい寺島さん」の説く中東論はめちゃくちゃです。〈米同時多発テロ（9・11）以降、イスラエルは中東で独り勝ち状態でした。最大の脅威だったイラクのサダム・フセイン元大統領はイラク戦争で葬り去られ、次の強敵であるイランは核開発問題で封じ込められています。いずれも自分の手を汚さず、米国を利用するような形で脅威を排除しました。一方で軍事技術大国に発展して豊かになり、今や1人当たり国内総生産（GDP）は日本を上回ります〉

この人、突っ込みどころが多すぎて困りますが、まず「中東で独り勝ち」の意味がわかりません。イスラエルにとって最大の脅威は、かつてはアラブ諸国であり、イラン建国後はもっぱらイランです。そしてイランは「核開発問題で封じ込められて」などいない。どこのイランの話ですか。

イランは核開発、軍事開発をすすめ、代理テロ組織をつかい、地域への侵略を進め、イスラエルへの攻撃も強化しています。ハマスもイランの代理テロ組織です。ハマスが今回、イスラエルに対して大規模テロ攻撃を仕掛けることができたのも、イランの支援があったからです。特にアメリカがバイデン政権になって以降は、バイデンがイランへの制裁を次々解除し、イランのカネまわりがよくなったことも重要です。

というか、イランが軍事大国化しているひとつの証《あかし》がロシアのウクライナ侵略戦争です。イランがロシアを軍事支援しているからこそ、ロシアはウクライナ戦争を続けることができている。イランはいまや、世界の秩序をおびやかす「悪の枢軸」の一員です。

この「中東問題に詳しい寺島さん」は、イランや中東のことを全く知らないとしか思えません。

「いずれも自分の手を汚さず、米国を利用するような形で脅威を排除しました」というのもウソです。イスラエルは今まさに、イランという脅威と戦っている。これまでも、イランの核施設を内側から爆破したり、核の技術者を暗殺するなど、イスラエルはまさに「自分の手を汚して」イランという脅威と闘ってきました。

〈さらに米国の仲介でアラブ首長国連邦（ＵＡＥ）など一部のアラブ諸国と国交を正常化し、アラブの分断も進めました。こうして自信を強め、高圧的になるイスラエルが、地域に危ういものをもたらすという予感がありました〉

イスラエルとアラブ諸国が国交正常化したことを、寺島氏は「アラブの分断を進めた」

と言うんですね（呆）。

アラブは全体的にイスラエルとの共存路線に進んでいます。サウジもイスラエルと国交正常化交渉をしていた。なぜならそのほうが自国にとっても地域にとっても得だと考えているからです。それにアラブ諸国は、イランという脅威に立ち向かうのにイスラエルと手を組んだ方がよいと信じている。イスラエルとアラブ諸国の和解に反対しているのは、ハマスのようなイスラム過激派です。ハマスはイスラエル殲滅をめざしている。ハマスにはイスラエルとの共存という選択肢はありません。

つまり、「中東問題に詳しい寺島さん」はただ無知なだけでなく、ハマスの立場に立って発言しているわけですね、ハイハイ。

「こうして自信を強め、高圧的になるイスラエルが、地域に危ういものをもたらすという予感がありました」などというのはまさにハマスの言い分です。普通に考えれば、地域に危ういものをもたらしているのは、地域の和解を拒否しテロを続けるハマスです。ハマスに武器や資金を提供し地域を攪乱しているイランです。

イスラエルと国交正常化をめざすアラブ諸国

寺島氏が完全なる「反ユダヤ主義者」であることは、次の部分からも明らかです。

〈なぜイスラエルがこんなにもパレスチナをねじ伏せようとするのか、世界の世論を敵に回してまで、なぜあんなに居丈高に振る舞うのか。日本人にはなかなか理解できませんが、それはユダヤ人の深層心理にある「マサダ・コンプレックス」が深く関係しています。

マサダとは古代、ローマ軍に追い詰められたユダヤ人が集団自決した場所です。現在のイスラエルはアラブ諸国という「アラブの海」に囲まれており、油断しているとマサダの悲劇のように、いつ地中海に突き落とされるか分からない。ユダヤ人の多くはそんな強迫観念にとらわれているのです〉

「中東の専門家」もよく、このマサダ・コンプレックスを持ち出してイスラエルを高圧的とか被害者妄想とかヒステリックなどと説明します。たとえば、東京外語大教授の青山弘之という人は、こんなふうに言っています。

〈「ガザの復讐」は始まったのか？　…「イランの民兵」がイラク、シリア、イエメンで米国を攻撃

マサダ・コンプレックスによって突き動かされているかのようなイスラエルのヒステリックな軍事行動に対して、「抵抗枢軸」が正面切って反抗すれば、イスラエルをさらに逆

上させ、現在ガザ地区が被っているような甚大な損害や犠牲を出す危険は避けられない〉

Yahoo！ニュース　2023年10月20日」

　この東京外国語大学の教授は、イランから大量の武器・資金を支援されてきたシリアのアサド政権を擁護する「専門家」の代表的人物です。イラン、アサド政権、ハマスを支援する論者がみんなでイスラエルを非難するときに使うキーワードが「マサダ・コンプレックス」なのです。

　しかし、そもそもイスラエルはユダヤ人だけの国ではない。イスラエル国民の2割はアラブ人です。キリスト教徒やイスラム教徒も多い。彼らはイスラエルという国のために軍人として戦ってもいます。イスラエルという主権国家がハマスというテロ組織と戦っている現実を、「イスラエルはパレスチナをねじ伏せようとしている！」と論点をすり替え、さらにそれは「マサダ・コンプレックスのせいだ！」と説明する。これは詭弁《きべん》です。

　はっきりしているのは、「中東問題に詳しくない寺島さん」には「強者」であるイスラエルを非難したいという、強い願望があるっちゅうことです。イスラエルを非難するためなら、どんなウソもはったりもでっち上げも厭《いと》わない。そして記者も同じく無知なので、それがウソやはったりだと気づくことなく、「本当にイスラエルってひどいですよね」というなずきながら、「強者」を批判する自分、反権力である自分に酔っているわけです。ものを知らない同士、話が弾みます。

談論風発、ついに「中東問題に詳しくない寺島さん」は中東が反米、反イスラエルで結束すると「予言」します。

〈――中東は今後、どうなるのでしょう。

米国など先進国の影響力が落ちる中、封印されていた地域パワーの復権が今、起こっています。その典型はトルコです。オスマン帝国の栄光を再び、というようにエルドアン大統領は野心を燃やし始めています。またイランがひたひたと地域での重みを増しています。5年、10年先には中東における力学が着実に変わっていくと思います。

一方、ガザの戦闘を巡っては、エルドアン大統領が先月、イスラエルを「テロ国家」などとして、はっきり非難し始めています。ガザの悲劇が深刻化すればするほど、イスラム各国の反発が増しています。そして、シーア派とスンニ派など、これまで敵対し合ってきたイスラム勢力が「反イスラエル」で結束する可能性があり、その兆候が見えつつあります。それはイスラエルとその支持者である米国に対するイスラムの反発であり、不気味な動きです〉

これは完全に、イランやトルコ、ハマスの主張です。寺島さんは、ハマスというのがアラブ諸国にとっても脅威であるテロ組織なのだということがわかっていない。ハマスのために立ち上がるアラブなどどこにもいません。

そもそもアラブ諸国にとってはパレスチナ人すらもやっかい者です。だからどの国も、パレスチナ人を受け入れようとはしない。ガザに隣接するエジプトは、ハマスをテロ組織に指定し、パレスチナ人がエジプトに入ってこないように、いま新たにフェンスを作っています。

イランやトルコの動きや反応を以て中東を語ること自体が、大きな勘違いです。イランやトルコは、中東の脅威であり、アラブの脅威です。中東の核をなすのはアラブです。イランやトルコではない。

イランやトルコは帝国主義国家です。力による現状変更を今もやっている。他国に軍事攻撃をし、領土を侵犯している。これがイランとトルコです。それを寺島さんは、「よしよし、中東が動いているぞ！　中東がアメリカの圧力から解放され、いよいよ〝抵抗勢力〟の時代がやってきた！」と喜んでいる。アホかいな。

最後の、日本外交についてのコメントは、まさに寺島さんならではのものです。

〈日本の外交は今、米国に追随するばかりで「米国のスタンプ」とも呼ばれています。しかし中東外交に限っては、21世紀に入る前まで、日本には独自性がありました。中東に武器の供与も軍事介入も一切行わず、１９７０年代にはアラブの友好国であると宣言して、イスラエル寄りの米国とは一線を画したのです。それは何も信念と哲学に基づいた政策だったとは言いがたく、石油危機の中での「油欲しさ」からだったとも言えますが、結果としてアラブ諸国との関係を維持することにつながっています。

しかし9・11以降、日本は米国に従ってイラクやアフガニスタンに自衛隊を派遣し、どんどん米国に引きずり込まれています。11月に東京で開かれた主要7カ国（G7）外相会合での日本のスタンスは象徴的でした。米国と同調してイスラエルを支持し、「戦闘の人道的休止」など人道主義を装ってみせるぐらいしかできなかった。「バランス外交」という名の「あいまい外交」なのです。

今、何より重要なのは、日本は非核平和主義国家として、はっきり「戦争をやめろ」と言うことです。そして中東の非核化を求めるべきです。イランの核開発は許さないのに、イスラエルの核保有は容認するという米国のダブルスタンダードを認めてはいけません。日本外交の基軸が今、問われているのです〉

アラブの友好国であることと、イスラエルの友好国であることは両立しない、というのは50年前の話です。今はアラブの多くがイスラエルと国交正常化している。少なくとも外交・経済関係を構築しています。

「何より重要なのは、日本は非核平和主義国家として、はっきり『戦争をやめろ』と言うこと」というのは熱にでもうなされてうわごとを口走っているのでしょうか。イスラエルがやっているのは、テロとの戦いなんです。「イスラエルを殲滅する、民間人をこれからもどんどん殺す」と宣言しているテロ組織との戦いなんです。

そこに割って入って「非核平和主義国」(平和ボケ国家ともいう)日本が「戦争をやめろ」と言っても、ハマスにもイスラエルにも「は？　イミわからないんですけど」と無視されるだけです。これはまさに、岸田総理が、ハマスがテロをやった翌日、イスラエルに「自制」を求めたこと、そして岸田政権が一貫して「事態の沈静化」を要求し続けていることと重なります。

寺島氏のような偽善的「平和主義者」が、日本の中東外交を現実から乖離させ、何の影響力も発言力も持たないままにしているっちゅう話ですね、ハイハイハイ。

（2023年12月12日）

ハマスの性暴力をなりふりかまわず否定する朝日新聞の「異常」

「天声人語」の卑劣さ

皆さん、こんにちは。

さて、日本では『西洋の自死』の著者として知られている英国人ジャーナリスト、ダグラス・マレー氏は、2023年10月7日のハマスによる大虐殺後、イスラエルに渡航し、以来、自らイスラエルとハマスとの戦争を取材しながら、多くの記事を執筆しています。

最も印象深い記事のひとつが、ハマスが子供も老人も障害者も、あらゆる人を「道具」として利用していることについて記したこちらの記事です。

〈Douglas Murray, Col. Richard Kemp explain uphill battle for Israel（リチャード・ケンプ大佐、イスラエルの苦難の戦いを語る）〉(www.jpost.com　2023年12月29日)

ここに書かれている、ハマスが「我々はパレスチナのために戦っている！」と言いながら、パレスチナ人を盾として、武器として、道具として利用しているという問題については、私は何年も前から指摘してきました。それは私だけではなく、本来、パレスチナに関わるあらゆる人々が知っている事実です。

しかし日本ではそれが報じられない。マレー氏の本国イギリスでも、日本よりはマシですが、メディアは圧倒的にパレスチナ寄りで、ハマスの悪については無関心を装う。というより、もっぱら「イスラエルの悪」についてしか関心がない。だから「イスラエルの悪」という既定路線にぴったりはまる事案があれば執念深く報じます。捏造することすら厭《いと》わない。逆に、ハマスの悪については報じません。なぜなら、それは、「イスラエルの悪」を報じ続ける基本方針に矛盾するからです。

メディアが報じたいのは「イスラエルは悪」ちゅうことだけなんです。

2023年大晦日の朝日新聞のコラム「天声人語」もまた、その典型例です。

「さよなら2023年」と題されたそのコラムに、こんな一節があります。

〈夢といえば、子どもによる発言を募った本紙投稿欄「あのね」に昔、こんな話が出た。2歳の息子は、まくらカバーを外して洗おうとすると、さわらせない。「あけたらダメ」。枕のなかに夢が入ってるんだと言う。「まだみてないのがたくさんあるの」と▼大人が出来ることと言えば、一つでも多くそんな夢を叶(かな)えてやることだ。だが、あまねく世界に目を転ずれば、情け容赦のない砲弾で涙を流す子がいる。虐待で、きらめく感性の芽を摘み取られる子がいる▼ガザ地区で、ウクライナで、海のかなたで、日本で。新しいカレンダーのまぶしい余白が笑顔で埋まっていく。あるがままの子どもが、お日様の匂いの枕で眠りにつく。そうした日々を、願ってやまない〉

これはおかしい。圧倒的におかしい。

砲弾や虐待で涙を流す子供がいる場所として挙げられているのが、なぜガザとウクライナと日本だけなのか？　なぜ朝日は「イスラエル」の名をあげなかったのか？

2023年10月7日以来、ハマスはイスラエルの何百人という子供たちを殺し、拉致した。イスラエルの子供たちの母や父、大切な家族を殺し、拉致した。イスラエルにはナイフで、銃で、傷つけられ、殺されたたくさんの子供たちがいる。これは「情け容赦のない砲弾で涙を流す」どころの話ではありません。ハマスは無惨に、子供達の命を奪った。子供達から両親を奪った。

イスラエルのガザに対する攻撃は、このハマスのテロに対する反撃です。

ところが朝日は、ハマスのイスラエルの子供に対する無差別殺戮などなかったかのように、イスラエルがガザの子供達を情け容赦のない砲弾で攻撃していると言う。かわいそうなのは「ガザの子供」だけだと言う。朝日にとっては「イスラエルの子供」など、どうでもいい存在ちゅうことなんです。

朝日は自らの醜い本性をあらわにしている。朝日にとって本当は、子供のことなどどうでもいい。朝日は「ガザの子供」がかわいそうだ、ガザの子供を攻撃しているイスラエルは悪なのだと、そう言いたいだけなのです。「イスラエルは悪」というためならば、捏造でも歪曲でもなんでもする。これが朝日なんです、ハイハイ。

ハマスの性暴力を語りたがらない朝日の女性記者

朝日新聞は「『ハマスが性暴力』訴え強めるイスラエル　米国も同調、ハマスは否定」(digital.asahi.com　2023年12月8日）という記事も出しています。冒頭、次のようにあります。

〈パレスチナ自治区ガザ地区への侵攻を続けるイスラエルが、10月7日のイスラム組織ハマスによるイスラエルへの大規模攻撃で女性らへの性暴力があったとして非難を強めている。一方、ハマス側は「イスラエルのプロパガンダだ」と主張し、性暴力を否定している〉

驚くべきことに朝日新聞は、ハマスが性暴力をふるったというイスラエル側の告発と、性暴力を否定するハマスの主張を同列に並べています。ハマスの性暴力はイスラエル側の主張」にすぎない、という前提に立っているのです。

この記事を書いているのは、かつて朝日のエルサレム支局長だった清宮涼という女性記者です。彼女はエルサレム支局長時代、ハマスにひたすら寄り添い、ハマスを賛美し、イスラエルを悪しざまに罵る記事を書き続けてきました。

ハマスの暴力の中には間違いなく、性暴力が含まれている。

ところがそれを報告し、告発するイスラエル人に対し、朝日のような日本メディアや、清宮氏のような記者は「証拠が足りない」と言う。なぜなら彼らにとってハマスは、性暴力をふるうような存在であってはならないからです。

ハマスはかわいそうなパレスチナ人の代弁者にしての政治団体でなければならない。まちがっても非武装の一般市民を無差別に攻撃したり、女性に性暴力を振るったりするようなことがあってはならないっちゅうワケです。

「だからいよいよ、ハマスがとんでもないテロをやった段階に至っても、彼らはそれを「イスラエルの占領のせいだ」と言う。「ハマスは追い詰められて立たざるを得なくなったんだ」とハマスを擁護する。性暴力については「そんなものはイスラエルのプロパガンダだ」とハマスの立場に寄り添う。

ハマスが性暴力をはたらいた現場を目撃したユダヤ教の超正統派遺体収容組織ＺＡＫＡのメンバーをはじめ、多くの人々が12月４日、国連本部で開かれたハマスの性暴力をめぐる会合で、このように苦渋に満ちた証言をしています。

"What we know about rape and sexual violence inflicted by Hamas during its terror attack on Israel"（CNN 2023/12/7）

ＺＡＫＡのメンバーであるグレイマン氏は、「後頭部を撃たれ、腰から下が裸の女性」や、「裸にされ、女性器に釘やいろいろなものが刺さっている女性」を見た、女性の体は「人物特定ができないような方法で残忍に扱われていた」。

イスラエル警察のヤエル・リヒャート氏は、「繰り返されたレイプのために骨盤を骨折した少女たちがいて、彼女たちの足は大きく裂けていた」「私たちはシェルターから引きずり出された少女たちの声を聞いた。彼女たちは叫んでいた。彼らは少女たちをレイプし、その直後に燃やした。外にあった死体はすべて焼かれていた」と、テロの生存者の証言を読み上げた。

この攻撃で死亡した女性兵士の遺体を処理したイスラエル国防軍（ＩＤＦ）の予備役、シャリ・メンデス氏は、「われわれのチームリーダーは、股間や親密な部分、膣を撃たれたり、胸を撃たれたりした女性兵士を何人も見た。被害者のグループには組織的な性器切除があるようだ」と証言した。

ハマスに同情的で反イスラエル報道の目立つリベラル・メディア、CNNやBBCのような米英のメディアも、ハマスの性暴力を疑ったり、否定したりするような報道はしていません。

〈個々の申し立てや主張を独自に検証することはできない。しかし、10月7日の攻撃現場に居合わせた何人かの第一応答者は、攻撃は圧倒的に陰惨であり、何人かの女性犠牲者は服を着ていない状態で発見されたとCNNに語った。

国連でのセッションで提示された性的暴力の証拠は十分かつ圧倒的で、さまざまな情報源からもたらされた。

ハマス側は、証拠があるにもかかわらず、攻撃中に戦闘員が性的暴力を働いたという主張を繰り返し否定している〉（CNN）

〈10月7日のイスラエル組織ハマスによるイスラエル襲撃で、女性がレイプや性的暴力を受けたり、体を切断されたりした証拠をBBCが確認した。

犠牲者の遺体収容や身元確認に携わった複数の人々が、骨盤の骨折やあざ、切り傷など、性的暴行の形跡を複数見たと語った。

イスラエル警察がジャーナリストに公開した「スーパー・ノヴァ」音楽フェスティバルでの目撃証言は、集団レイプや体の切断、被害者1人の処刑の様子を詳細に描いていた。攻撃当日にハマスが撮影した動画には裸で血まみれの女性が映っていた。襲撃後に現場で撮影された写真にも遺体が写っており、女性が襲撃者から性的な標的にされたことを示唆している〉(BBC　https://www.bbc.com/news/world-middle-east-67629181)

BBCもCNNも、ハマスは証拠があるのに性暴力を否定していると非難しています。

ところが、朝日新聞はハマスの主張に寄り添い、ハマスが性暴力をふるったというのはイスラエルのウソだと仄《ほの》めかしつつ、こう清宮氏は書いています。

〈ただ、ハマスの性暴力をめぐる被害の全容は明らかになっていない。生存する当事者の証言はほとんどない。また英BBCによると、イスラエル当局は「現場からの法医学的証拠が足りない」と認めており、調査の難しさも指摘される〉

「証拠が足りない」のは、多くの被害者がすでに死んでおり、さらに性暴力のあとで遺体自体が燃やされたりしているからであり、さらに生き残った人々もショックが強く精神的ダメージを受けているためです。

しかし清宮氏はそういった背景には触れない。証拠が足りないと言って嘲笑《あざわら》う。

私は通常、ある記事を読むときにそれを書いた記者が男であるか女であるかはあまり勘案しませんが、この記事に関しては、清宮氏という女性記者が平然と、ハマスによる女性に対する性暴力を否定するような記事を書いていることに心底驚きます。

イスラエルは性暴力がいかに残虐なものだったかの証言を、SNSでも多くシェアしています。それは聞いているだけでも胸がつぶれるような内容です。

「証拠がない」『証拠が足りない」という人は、それならばなぜ、数多くの人々がこのような証言をしているのかについて納得のいく説明をしてほしい。

多くのイスラエル人たちが、ハマスに悪魔の罪を着せるためだけに、イスラエル女性が裸にされ、レイプされ、性器に釘を差し込まれ、手や腕を切断され、顔をメチャクチャにされ、頭を銃で撃ち抜かれ、それでもまだレイプされつづけた。小さな女の子たちまでレイプされ、泣き叫んでいた、骨が折れるほどの力で陵辱されたなどという「作り話」を、彼らは苦悶の表情でしているとでもいうのでしょうか。私は本当に、全く理解できません。

朝日新聞は常日頃から偏向報道をし、ハマス擁護、パレスチナ擁護、イスラエルの悪魔化に勤《いそ》しんでいますが、この記事は、やはり朝日の記者には人の心というものがないのではないかと疑いたくなるくらいひどいと思います。

清宮氏はこう続けます。

〈イスラエルを支援してきた米国は、性暴力をめぐるイスラエルの主張にも同調している。バイデン大統領は5日、マサチューセッツ州ボストンでの選挙集会で、ハマスにより女性が性的暴行を受け、遺体が切断されたといった報告を挙げ、「ハマスのテロリストによる性暴力を非難するのは、政府や国際機関、市民社会、市民みなの責任だ」と強調した〉

清宮氏は、アメリカは証拠もないのに、イスラエルの主張に同調している、と批判している。要するにハマスの性暴力というのは、イスラエルとアメリカの陰謀であると仄めかしているわけです。

朝日や清宮氏にとっては、イスラエルの女性たちがハマスの性暴力の被害を受けようが死のうが、そんなものは関係ない。清宮氏らはハマスの性暴力を否定し、イスラエルとアメリカを罵ることに躍起になっているだけです。

99の嘘と1の真実

私はこの記事は異常だと思う。日本メディアの中東報道の偏向の極致ですね。

イスラエルを殲滅するまで何度でも攻撃を続けると宣言しているテロ組織が隣にいるのに、イスラエルが安穏としていられるわけがない。そんな状況になれば、イスラエルでなくとも、ハマスと対峙せざるをえなくなるでしょう。

しかもイスラエルは、ガザの民間人に犠牲が出ないよう、最大限努力している。民間人がいるから空爆をしない。ハマスが民間人を盾に取っていれば攻撃できない。にもかかわらず、ハマスはといえば、民間人を積極的に「道具」として利用し、自らはその後ろに隠れて平気な顔をしています。

マレー氏の上記の寄稿には次のようにあります。

〈彼（イスラエル軍のある少佐）の部隊はガザ南部の街角で、車椅子に乗った老婦人が一人でいるのを見つけた。彼らが彼女に近づくと、突然ハマスのテロリストが銃を撃ってきた。ハマスのテロリストはイスラエル兵を銃撃するために、彼女の車椅子の下に隠れていたのだ。パレスチナ人を気遣うふりをしながら、体の不自由なパレスチナ人の老女を人間の盾にする。これがハマスなのだ〉

ところが朝日をはじめとする日本のメディアは、こうした「ハマスの悪」については書かず、逆にイスラエルは戦争犯罪をしていると非難するんです。民間人を殺戮し、子供に砲弾を浴びせているのはイスラエルだと糾弾するわけですね。

一方、私やダグラス・マレー氏が指摘しているのは、「イスラエルは虐殺などしていない」という事実です。99の人が、あるいは99のアカウントが「イスラエルは民間人大虐殺をしている」と言う。

それに比して、「イスラエルは民間人大虐殺などしていない」と言っているのは1人くらいしかいない。しかし事実は、1人の側にあるのです。

イスラエルは民間人大虐殺などしていない。イスラエルがハマス殲滅にこれだけ苦悩し、これだけ長い時間かかってまだそれを達成できていないのが、何よりの証拠です。

民間人などおかまいなしにハマスを殲滅するならば、ガザの全てを空爆し焼き払ってしまえばいい。それをしないのは、民間人を巻き込まないためです。

それでも日本のメディアや「著名人」たちは、「イスラエルは悪だ」と言うことにしか興味がないのですね。

その典型例が、東京大学の池内恵《さとし》氏です。

彼は10月7日の大虐殺の翌日、会員制国際情報サイトにこう書いています。

〈イスタンブールからイスラエル・ガザの「戦争」を見る：池内恵の中東通信

イスラエルが軍事力でガザのハマースの意志を挫くことは容易ではなく、長期的には交渉によって解決する以外に方法はないと考えざるを得ない。1973年のヨーム・キップール戦争のように、ハマースがアラブ世界の中で地位を認められそこから和平交渉に向かうきっかけになる可能性もある〉（新潮社Foresight）

1200人以上の命を奪ったハマスと「交渉しろ」、「交渉する以外に方法はない」と断言しているのです。

イスラエルという国家を丸ごと殲滅すると宣言し、女も子供も平気で殺したハマスに対し、平然とこう言ってのけている。しかもハマスが「アラブ世界の中で地位を認められ」る見込みがあると記しているわけです。

皆さん、これは要するに、ハマスのことも、アラブ諸国の実情も、全く知らないド素人の見解か、あるいはハマスやイランの願望を語っているかのどちらかちゅうことです。さらに池内氏は続けます。

〈イスラエルは、手中にしていたと思われた湾岸産油国の支持を明確に得られず、孤立感と失望を抱えたまま、ガザへの大規模攻撃に踏み込む。攻撃をもたらした対外関係の認識の不全と、攻撃に対する脆弱さを曝け出したイスラエル社会の側の問題に対しても、やが

ては『魂の問い直し』を向けざるを得ない〉

イスラエルはテロの被害者です。しかし池内氏は、その被害者であるイスラエルが「孤立感と失望」を抱えている、「対外関係の認識の不全」「攻撃に対する脆弱さ」をもっていたなどといって批判している。かてて加えて、イスラエルは「魂の問い直し」をしなければならないと断罪しているのです。

しかし、とにかく「イスラエルの悪」に執着しつづける人たちにとっては、これが既定路線なんです。だから不思議とも何とも思わないのですね。

ハマスがテロをおこしても「イスラエルが悪い」。

ハマスがイスラエルの子供を殺しても「イスラエルが悪い」。

ハマスがイスラエルの女性を性暴力の挙句殺しても「イスラエルが悪い」。

話になりませんね。皆さん、どう思いますか。

ダグラス・マレー氏は先日イスラエルで開催されたトークイベントで、こう語っています。

「99の嘘が語られ、1人が真実を語る世界であれば、真実が勝つだろう」

「嘘の時代における真実の有効性を過小評価することはできない」

あれほど知名度も発信力もあるマレー氏でも、自分が「1」だという認識です。しかし自分は「1」でも、自分の語っているのは真実だと、彼は自負しています。そして真実はたとえ「1」であっても、勝利するのだと、彼は確信しているのです。

私は彼のこの言葉にハッとさせられました。

私も自分が「1」だという認識を持っています。しかし彼ほどの勝利の確信はありませんでした。真実は強い、嘘の時代だからこそ真実が勝つのだというマレーの言葉は、今年最後の、神から私への贈り物だと思います。

ところで池内氏は、イスラエルを支持するのは「ネトウヨ」だというのが「真実」だと述べ、イスラエル支持者は「粗暴な軍国主義者」だとレッテル貼りしている。彼にとっては「真実」の意味もだいぶ違うようですね。私は彼とは違う、別の「真実」を信じます。

（2023年12月11日・12月31日）

公金を私物化する東大・メディア・外務省のイスラム互助会

こんなシンクタンクに公金7億円の価値があるか

2023年の大晦日、あるメディア社員のポストが目に入りました。こちらです。

〈本日12月31日をもちまして朝日新聞社を退職します。36年1カ月の間、お世話になりました。以上業務連絡でした。よいお年をお迎えください〉

年が明けると、続けてこのようなポストが。

〈明けましておめでとうございます。ぼうっとしている間に年が明けて、粛々と退職しました。夕暮れの寒々とした富山駅に降り立って記者生活を始めた36年前のような初心に戻り、新たな1年を踏み出したいと思います。それではお休みなさいませ〉

朝日新聞にお勤めだった国末憲人氏という方らしいのですが、変わったポストだなあ、別に会社を辞めたからといって矢継ぎ早にこのようなポストをしなくても……といぶかりつつ、その名字にどこか見覚えがあるような気がしてきました。

はっ、と思い立って、東京大学池内恵教授が代表をつとめ、外務省から多額の補助金を得ているシンクタンク「ROLES《ロールズ》」のホームページを確認してみると……ビンゴです。この人は以前から、ROLESの非常勤メンバーでした。それが朝日をやめ、晴れて「常勤」メンバーとなったのがよほど嬉しかったようなのです。

ROLESのニュース（roles.rcast.u-tokyo.ac.jp）では次のように発表されていました。

〈2024年1月1日付で、国末憲人氏（前・朝日新聞論説委員）が、東京大学先端科学技

術研究センター・グローバルセキュリティ・宗教分野の特任教授に就任しました。

　国末憲人氏は、1987年に朝日新聞社に入社して以来、世界各地の紛争やテロリズム、あるいはポピュリズムの政治に関して先駆的な報道を積み重ね、日本を代表する国際報道記者としての評価を築いてきました。その著作は多くありますが、昨年10月には『ロシア・ウクライナ戦争 近景と遠景』(岩波書店)をまとめています。

　国末氏には、2023年7月以来、客員上級研究員として東大先端研にお迎えし、調査研究事業に積極的にご関与いただいておりましたが、このたび、特任教授として常勤で加わっていただくことになりました。

　国末氏の参加によって、東大先端研グローバルセキュリティ・宗教分野およびそれが実施する研究プロジェクトROLESの機動性・即応性が大幅に向上し、社会への発信がより厚みを持ち安定したものとなることが期待されます〉

　なるほど、なるほど。国末氏は「客員上級研究員」から「特任教授」に大出世したわけですね。

　特任ちゅうのは一般的に、特定のプロジェクト限定で、その間、そのカネで雇用される人につけられる形容であることが多くて、ROLESにはすでに多くの「特任」がいましたが、元朝日の国末氏はなんと、ROLESのメンバーリストの3番目にランクアップ！

まさに破格の扱いですね。

この優遇ぶりから、朝日→東大（特任教授！）という流れに、私はある可能性に思い当たっちゃったわけです。

それは、池内氏（ROLES）、「朝日をはじめとするメディア、それに外務省の三者は、相互依存関係にあるのではないか」ちゅうことなんですね。

ROLESとは、正確に言うと東京大学先端科学技術研究センター（RCAST）の「創発戦略研究オープンラボ」というシンクタンクです。

このROLESについては、月刊『選択』（選択出版）2023年12月号が、「外務省の補助金を東大先端研が独り占め　不透明な選考プロセスと『使途』」というタイトルで、こんな記事を載せていました。

〈外務省が国内シンクタンクの外交・安全保障研究活動を支援する補助金公募で、東京大学先端科学技術研究センターが今年度、三年七億五千万円の大口支援を総取りし、他大学などに衝撃を与えた〉

要約するとですね、ROLESは巨額の外務省補助金をもらいながら、仲良しグループでそれを山分けしちゃって、大して意味のないトルコでの公開シンポジウムにメンバーを総動員して予算を消化している……といった、おおよそそんな内容です、ハイ。

そこで調べてみると、2023年にROLESが外務省の「外交・安全保障調査研究事業費補助金」を得たプロジェクトは、ROLESの公式サイト（roles.rcast.u-tokyo.ac.jp）によれば3つ。

①「ポスト・ウクライナ」世界を生き抜くための外交・安全保障の構想と研究能力の抜本的強化
②国際理念と秩序の潮流：日本の安全保障戦略の課題
③自由民主主義秩序を支える情報プラットフォームの構築

外務省はこの補助金について、次のように説明しています。

〈外務省は、2013年度から、我が国調査研究機関（シンクタンク）の外交・安全保障に関する活動を支援するため、公募により、外交・安全保障調査研究事業費補助金を交付しています。補助金を通じた支援により、我が国シンクタンクが情報収集・分析・発信・政

策提案能力を高め、これによって日本の総合的外交力の強化を促進し、以て日本の国益が更に増進されることが期待されます〉

これを読むと、この補助金を受給するためには、その受け皿としてシンクタンクを作らなければなりません。池内氏があえて、東大の先端研の中に「シンクタンク」を作った理由が見えてきます。

では、池内氏は7億円もの公金を使って、「我が国シンクタンクが情報収集・分析・発信・政策提案能力を高め、これによって日本の総合的外交力の強化を促進し、以て日本の国益が更に増進されること」にどれほど貢献しているのでしょうか。

実は池内氏のROLESは前年2022年度にも外務省の補助金を得ており、その報告書がこちらにすでに上がっています。

「外交・安全保障調査研究事業費補助金 補助事業実績報告」(mofa.go.jp)

そこには補助事業の成果として、

・『偽情報戦争』『ユーラシアの自画像』という本を出版した
・オンラインセミナーを実施した

・ウェビナー（ウェブセミナー）を実施した
・米中間選挙の分析に際しては京都でも会合を実施し、地元新聞に会合の模様が取り上げられるなど、全国的に、および地方社会とも連携しながら発信を行い、反響を呼び起こした
・池内恵教授はイスラエルのテルアビブ大学モシェダヤン中東アフリカ研究センター（MDC）に2022年度を通して上級客員研究員として滞在

などと書かれていますが、これらをもって「我が国シンクタンクが情報収集・分析・発信・政策提案能力を高め、これによって日本の総合的外交力の強化を促進し、以て日本の国益が更に増進されること」に貢献したかというと、これははなはだ疑問ですね。

たとえば情報発信ひとつをとっても、池内氏の報告書には、

〈ROLESのメンバーが積極的なメディア出演を行った。池内教授は国際情報誌『フォーサイト』や雑誌『公研』への編集企画協力・助言を恒常的に行い、主要な外交・安全保障専門家のこれらの媒体への執筆・掲載の道を開き、外交・安全保障に関する適切なアジェンダ・セッティングに尽力した。池内教授が有志と共に開設したYouTube

チャンネル「国際政治ch」の多くの企画により、広く一般に、定期的・恒常的に外交・安全保障に関して、専門的テーマに合致した専門家を紹介していくことで、質の高い議論が適時・適切に展開されることを促進し、健全な国民的議論を喚起する経路を定着させた〉とありますが、『フォーサイト』も『公研』も有料会員しか読めませんので、「広く一般に」研究成果を還元しているとは全く言えません。限られた有料会員しか読まない媒体に、自分の「仲良しグループ」に原稿を書かせ、掲載したことのどこが、「外交・安全保障に関する適切なアジェンダ・セッティングへの尽力」をしたことになるのですかね。

また「有志」、つまり「仲良しグループ」と共に開設したYouTube「国際政治ch」も、チャンネル登録者数は7万8000人で、こちらも有料会員限定のコンテンツです。「仲良しグループ」がもともとやっていた有料チャンネルのどこに、公益性があるのですか、ちゅう話です。

池内氏の報告書には、「ROLESは独自のYouTubeチャンネルを持ち、マスメディアに露出しないメンバーについても発信を行える体制を有している」とも書かれています。そこで「ROLES Channel　東京大学先端科学技術研究センター創発戦略研究オープンラボ（RCAST Open Laboratory for Emerge　www.youtube.com）」を見てみると、登録者数は8000人のみ。各々の動画の再生回数も数百程度です。

ROLESには100人近い、大量の研究者が名を連ねていますが、そのチャンネルの登録者の数は、私の個人チャンネルの登録者数の20分の1以下しかありません。動画の再生回数に至っては100分の1だったりする。ちなみに、私は1円も公金をもらっていません。国から3年で7億円近い公金をもらっている池内氏のROLESが、その情報発信力や国民に対する国際問題の理解増進において、国から1円ももらっていない私よりはるかに劣っているとすれば、それは大いに問題ではないかと私は考えますね、ハイ。

「公開シンポジウム」についても、たとえば池内氏は2023年9月、イスタンブールで公開シンポジウム「ウクライナ戦争に対する日本とトルコの立場　ウクライナ戦争の挑戦──それは世界に何をもたらしたのか、日本とトルコに何ができるのか」を開催しています。世界に向けて日本の外交について周知するためのものである割には、主催者である池内氏のこのポストに対する「いいね」がわずか47というのは、あまりにもお寒い。

このシンポジウム開催は、補助金をゲットする条件の一つにもなっているわけですが、数千万円の公金を出すだけの価値は果たしてあるのでしょうか。

シンポジウムの参加者はいつもの「仲良しグループ」のメンバーです。ROLESの立ち上げメンバーである小泉悠氏らのほか、東野篤子氏はわざわざ自宅のあるオーストラリアからイスタンブールに行っている。

なぜ日本人が、ウクライナ戦争について話をするために、トルコのイスタンブールにわざわざ行かなければならないのか？　プログラムを見ると、イスタンブールで開催されている「国際的シンポジウム」であるはずなのに、報告者は日本人の「仲良しグループ」のメンバーのみ。トルコ人の名前は第二部「コメントと反応」のところにおまけのように書かれているだけなんです。

わざわざトルコで一般開放された公開シンポジウムにトルコ人の聴衆はどのくらいいたのか。トルコのメディア、あるいは世界のメディアは、このシンポジウムをどのように取り上げ、取材し、紹介したのか。世界中の研究者は、このシンポジウムにどう反応したのでしょうか。世界にどのようなインパクトを与え、それによって日本の外交力はどのように強化され、日本の国益はいかに増進されたのか。

そもそも状況的に考えて、常に日本で群れているお仲間をトルコに集結させる必然性はとくにありません。考えられるのは「予算の消化」ちゅうことです。ＲＯＬＥＳの補助金の使途は会議やセミナー、旅費、そして人件費。そのくらいしかありません。そもそも文系の研究にはカネなどかからないのです。

にもかかわらず、外務省が7億もの補助金を出しているのはなぜか。ははー、考えられるのは、外務省がその方針に「お墨付き」をもらうため、そして天下り先を確保するためじゃないですか。

現に池内氏は、岸田政権の「バランス外交」にお墨付きを与え、外務省の方針を正当化する発言をしています。しかし、そのために国民の血税を7億円も「シンクタンク」に出すのは、果たして正当な税金の使い方だと言えるのかっちゅう話です、ハイ。

一方、池内氏のようなシンクタンクの運営者は、巨額の補助金を手にすることで、自分を国に認められた重要人物であると誇示したい。そしてそのカネをつかって、国末氏のような「特任教授」をやとい、自分に従順な「子飼い」を増やし、界隈の絶対王者として君臨するわけです。

その補助金を継続的にもらうには、実績をあげ、一定の評価を得なければなりませんが、池内氏が実績として挙げているものの多くが、池内一派の「メディア出演」であることは、ROLESのホームページや補助金の報告書からも明らかです。

ということは、池内氏の実績をつくり出すのはメディアだっちゅうことです。メディアが池内一派をせっせと画面や紙面に登場させる。そうすると池内一派は実績をあげることができ、その実績が外務省に評価されて、池内一派は継続的に補助金を得ることができる。そして池内氏は、メディアをやめた人間をROLESに受け入れ、外務省の補助金でその人間を雇用する。要するに、メディアが池内一派を起用するのは、自分たちの天下り先を確保するためだと考えるとわかりやすいですね、ハイ。

実際に少なくとも一人は朝日新聞からROLESに天下りし、外務省補助金で特任として雇われたわけだから、これは信憑性のある考えではないでしょうか。いかがですか？外務省も外務省で、補助金を与えた東大教授（池内氏）とその一派がメディアにどんどん登場し、そこで外務省の外交方針を正しいものとして広めてくれれば、おいしい。将来的にはROLESが外務省の天下り先にもなりうるわけで、そうなればさらにおいしいわけですね。

そう考えると、外務省補助金は、「国益増進」ではなく、東大、メディア、外務省の相互依存、相互利益増進のために使われているようにしか思えなくなりますね。朝日の社員が東大に天下り、その雇用の費用を公金から出すことの、どこらへんが国益になるというのでしょうか。

2024年は能登半島地震で明けました。復興のために必要なのはカネです。7億のカネがあれば、いったい、どれだけの被災者が助かるだろうかと、つい考えてしまいます。

なお、このたび朝日を退職してめでたく「東大の特任教授」に就任した国末氏のXアカウントのプロイール欄には、自称ジャーナリスト、似非知識人」とありました。国民をナメてますね。


（2024年1月3日）

飯山陽を評価する皆さんを「色ボケ老人」と罵る東大教授

私が軽蔑する「イスラーム」と言いたがる人たち

皆さん、こんにちは。

さて、新年2024年1月3日の産経新聞「正論」欄に掲載された、「何よりも『強い国日本』の復活を」と題した文章の中で、ありがたいことに、東京大学名誉教授の小堀桂一郎先生が私を評価し、かつ擁護してくださっていました。

小堀先生は世界情勢に対する今の日本の無責任状態を憂慮し、「日本は世界秩序の維持に責任の一端を有し、有力強国と連繫してすくなくとも道義的責務を果たすべき位置にゐる」と述べたうえで、宗教的歴史的事情が複雑に絡みあう現代の諸問題を理解するには、これまでの「楽観的世界認識」とは異なる、世界の「複雑さを詳細に解説した」研究こそが必要なのだとして、拙著『中東問題再考』(2022年、扶桑社新書)に言及してくださいました。

〈ところで我が国の学問世界は思つたよりも遙《はる》かに幅が広く奥行きも深い。ウクライナ戦争発生の際にも、古代から中世近世を通じてこの地域の歴史に精通した学究が学界の一隅に居て、その複雑さを詳細に解説した業績を夙《つと》に出してゐた事を知つて感嘆したものだつたが、同じ様にイスラエル国とパレスチナ住民と、更にハマス組織との間にある根深い宗教的政治的確執の現状について、過去に遡《さかのぼ》つて精密に分析して見せてくれる新世代の学問研究者も出現してゐる(飯山陽『中東問題再考』他)。〈中略〉

我が国の官学アカデミズムは先の大戦での敗北以後、所謂《いわゆる》敗戦・占領利得者集団がその主流を支配する状況となつてをり、ために世界史の分野に於《お》いても東京裁判史観と根を同じくする国連憲章史観にのみ適合する偏向した見解が世間一般を嚮導《きょうどう》してゐる。この既得利権享受層に属してゐない独立独歩の研究者の説の公正さは、見るものが見れば、その論理の明晰《めいせき》と利権への媚態《びたい》の無い事によって判定できるのであるが、国連憲章史観を奉ずる学界主流派からはとかく排除排撃される様である〉

小堀先生は私を「新世代の学問研究者」の一人と見てくださっただけでなく、私が「既得利権享受層」、要するに「国連憲章史観を奉ずる学界主流派」から「とかく排除排撃される」状況にあることも理解してくださっているわけです。うれしいですね。

そして私のような独立独歩の研究者の説の「公正さは、見るものが見れば、その論理の明晰と利権への媚態の無い事によって判定できる」と評価してくださった。本当にありがたいことです。

私は、私が「中東研究業界《ギョーカイ》」と呼んでいる「学界」から「排除排撃」され、今も彼らから攻撃され、嫌がらせを受け続けています。その急先鋒が、今や「日本を代表する中東研究者」であり、なおかつ「日本を代表する国際政治学者」だということになっている（らしい）東京大学教授の池内恵氏です。

彼は私を研究者だと認めることすらしない。それどころか、飯山陽は「狂乱インフルエンサー」で、「無知で無能で異常な女」で、「虚言癖があり、ウソで大衆を騙し扇動している」と罵倒しているんですね、ハイ。

しかし「中東研究ギョーカイ」は日本社会のごくごくわずかな一部にすぎません。彼らは自分たちは偉い大センセイで、社会に影響力があるかのように勘違いしているかもしれませんが、ほとんどの日本人は彼らの存在など知らないし、見向きもしませんよね。

そして狭いギョーカイの外の世界には、小堀先生以外にも、私の研究を評価してくださる方々がいらっしゃるというワケです。

私の初めての単著『イスラム教の論理』（2018年、新潮新書）を読売新聞の書評で取り上げ、評価してくださったのは、東京大学教授の苅部《かるべ》直《ただし》先生です。

その批評を先生は「イスラム教圏の社会や歴史を研究する人はたいてい、『イスラーム』という呼称を好んで使う」と書き起こし、「内面での信仰にとどまらず、生活の全体を規律する教えだからというのがその理由であるが、そうした特徴をもつのはキリスト教や儒教も同じはずである。また、アラビア語の原音に忠実に「イスラーム」と記せと言うのなら、キリスト教もクリスティアーニスムス（ラテン語であれば）とでも呼ばないといけない」と皮肉を効かせ、そしてこう続けるのです。

〈本書の著者、飯山陽はアカデミックな訓練を受けたイスラム思想研究者であるが、日本語で広く定着し、文部科学省も学習指導要領で採用している「イスラム教」という言葉を使って論じている。それは、イスラム教が特権的なすぐれた宗教であるかのように語る態度に対する、深い疑念の表われなのだろう。（中略）

したがって異教徒が「イスラームは平和の教えだ」などと説き、民主主義への賛意を示す人々のみを真のイスラム教徒と呼んで歓迎するならば、過激派をますます憤激させるだけである。それどころか「穏健」とされる指導者たちもまた、自由や人権や民主主義といった西洋由来の思想と、イスラム教とが相容れないものであることを公然と認めている。

こうした本書の指摘は、専門家の手になるものだけに、衝撃力をもっている。いまやインターネットの普及を支えとして世界のどこでも起こりうるジハードの脅威に対し、あくまでも自由と人権に根ざした秩序を守りきる覚悟はあるか。その問いをまざまざと突きつけてくる〉

おっしゃる通り、イスラム教を「イスラーム」と呼び、それによってイスラム教が特権的ですぐれた宗教であるかのように語り、加えて、その特権的ですぐれた宗教であるイスラームの専門家である自分自身も特別にすぐれた存在であるかのようにアピールする「専門家」を、私は軽蔑しています、ハイ。私の悪口を言い続けている池内恵氏もまた、「イスラーム」の人です。

苅部先生は私をきちんと、アカデミックな訓練をうけた研究者として評価してくださっている。そして私の鳴らす警鐘に賛同してくださっています。

そして、東工大名誉教授で社会学者の橋爪大三郎先生も、私の『イスラム教再考』(2021年、扶桑社新書)を毎日新聞の書評欄で、こんなふうに取り上げてくださいました。

〈著者は憤っている。イスラム研究者は「イスラムは平和の宗教」「異教徒に寛容」のウソを広めている。現実や国際常識と乖離《かいり》した主張だ。著者がそう発言をすると《「イスラム教へのヘイトを煽《あお》っている」「差別主義者だ」》と中傷された。大御所のI教授も、K教授もN教授もS教授も、軒並み実名で批判される。評者の私の名前もあがっている。

日本のイスラム研究者は少人数で結束が固い。イスラム文明間対話に何度か参加したからよくわかる。知識不足の日本にイスラムを正しく伝えよう。使命感に溢れている。でもそれはギョーカイの同調圧力に転じやすい。学問に必須の多様性が失われる。それでは元も子もない。

著者飯山氏は本当に勇気がある。ギョーカイ全体を敵に回している。さまざまな不都合を覚悟したろう。どちらの言い分がもっともかは、これからじっくり議論すればよい。でもまず異論がのべられることが重要だ。かつて社会学ギョーカイが構造機能分析一色だった頃、その誤りを主張するのに私は苦労した。でも構造機能分析のリーダー小室直樹博士は嫌な顔ひとつしなかった。どんな異論も、だから私は応援したい〉

橋爪先生に頭が下がるのは、私は本書で橋爪先生の主張も批判しているにもかかわらず、「飯山陽は勇気がある、自分もかつて同じように異論を唱える立場で苦労した、だから私は応援したい」とエールを送ってくださっているところです。

他にも私を評価し、応援してくださっている方々はたくさんいらっしゃいます。

大阪大学名誉教授の加地伸行先生、同じく坂元一哉先生、元産経新聞のジャーナリスト髙山正之先生、産経新聞の古森義久さん。近年、ご一緒させていただくことの多い福井県立大学名誉教授の島田洋一先生、ジャーナリストの長谷川幸洋さんも私のことを評価してくださっています。「ギョーカイ」の人々がよってたかって私を罵る一方、「ギョーカイ」の外には私を評価してくださる方々がいらっしゃるわけです。

ところが、東大の池内恵氏は、暗に長谷川幸洋史を指して「情動不安定な色ボケ老人」と罵るポストをしました。池内氏は、私を罵倒するだけでは飽き足らず、私を評価したり、私と一緒に仕事をしたりする方々をこうした品のない言葉で攻撃します。

飯山陽をとにかく貶めたい、そのために私と仕事をしたり話をしたりしている相手もまとめて貶《おとし》める。これが池内氏のやり方ですね、ハイハイ。どんだけヤバいかって話ですよ。池内氏はこうした錚々《そうそう》たる方々が私を評価している現実が、とてつもなく不快なのでしょう。飯山陽に向けられる賞賛は、自分に向けられるはずだと思っているのかもしれません。だから飯山陽を評価する人はみな、女の「お色気」によってたぶらかされているにすぎない「色ボケ老人」なのだと自らに言い聞かせることによって精神のバランスを保とうとしているのでしょう、ハイハイ。

私は池内氏のように「東大」ブランドに支えられてはいませんが、「ギョーカイ」外の先生方や多くの読者、ユーチューブの視聴者の皆さんたちに支えられる研究者でありたいと思っています。

（2024年1月4日）

国連の〝テロ養成機関〟を擁護する自称「中東専門家」たちの魂胆

専門家たちがまき散らすウソ

皆さん、こんにちは。

国連パレスチナ難民救済事業機関（ＵＮＲＷＡ《アンルワ》：United Nations Relief and Works Agency for Palestine Refugees in the New East）の職員12人が、２０２３年10月７日のイスラエルに対するハマスのテロ攻撃に加わっていたことが明らかになり、国連は直ちに９人を解雇（残る１人は死亡、２人は身元確認中）。次いで、日本、アメリカ、イギリス、フランス、ドイツなどの西側諸国が相次いでＵＮＲＷＡへの資金拠出を停止する措置をとりました。

そもそもＵＮＲＷＡは、パレスチナ難民に対する教育、社会福祉、医療支援を３本の柱として１９４９年に設置されました。その国連事業機関が、実はテロリストの巣窟だったちゅうことが世界に波紋を呼んだわけですね。

そこで、読者をつねにミスリードすることでは定評のある朝日新聞は「ガザの命に直結するＵＮＲＷＡの活動　イスラエルが批判する理由は」（２０２４年1月31日配信）というインタビュー記事を出しました。これが見事に読者をミスリードしているわけですね、ハイ。

朝日がインタビューしたのは「中東政治・難民研究が専門の錦田愛子・慶応大教授」です。

錦田氏というのは、ＵＮＲＷＡへの拠出金停止は集団懲罰だと非難していた人です。ガザにとってハマスは必要不可欠なのだから、日本政府はハマスを政治アクターとして認めろと主張していた人でもあり、2020年のアブラハム合意の時には、イスラエルと国交正常化したアラブ諸国を「パレスチナを見捨てた」と非難していた人でもあります、ハイ。

このインタビューで、彼女はUNRWAについて、まず「パレスチナ難民に対して教育や医療を提供し、特にガザでは食料支援をしています。小中学校や医療機関も運営しています」と説明しているわけですね。

まるでUNRWAがガザの可哀想な難民たちに、生きるのに最低限必要な食料やサービスを提供している印象を与えようとしているかのようです。しかし、UNRWAの予算の8割は人件費です。そして職員の8割は教員です。予算のほとんどは教員の給与に消えており、食糧支援に使われている金額はごくわずかです。

UNRWAの実態がほぼ「学校運営」であることは、周知の事実です。そしてその学校でテロ教育をやっているから、ガザではテロが続く。ジハードでユダヤ人を殺すことが、人間にとって最高の行為だと信じさせる教育を70年間にわたって行ってきたのです。UNRWAは食糧支援機関ではない。テロ教育機関です。

ところが錦田氏は、UNRWAの本質を歪め、いや、UNRWAは貧困に苦しむパレスチナ人に食糧支援しているのだと、次のように主張しちゃっています。

〈ＵＮＲＷＡが行政府のような役割を担っています。ハマスが治安維持を含めた秩序の管理をする一方で、ＵＮＲＷＡは教育や医療、そして貧困にあえぐ２２０万人以上の住民に対する食料支援も担っています。職員数は約１万３千人で、その多くが現地雇用です〉

〝中東研究者〟や〝国際政治学者〟といった〝専門家〟たちは、この「ＵＮＲＷＡは行政府」という言葉をよく口にしますが、そんなバカな。「行政」というのは、法に基づき国を治めることですよ。

錦田氏の解説によると、ハマスというイスラム過激派が武力で実効支配しているガザを、国連機関であるＵＮＲＷＡが法に基づき統治している、ちゅうことになります。あんたね、バカも休み休み言うものです。

なぜ錦田氏が、ＵＮＲＷＡは行政府だとか、食料支援が仕事だとか、事実を歪める解説をするのか、もっとはっきりいえば「ウソ」をつくのかというと、ＵＮＲＷＡは必要不可欠な存在なんだと主張するためなんですよ。

ガザを支配するハマスは、米国や英国、日本からも「テロ組織」の指定を受け、物資や資金援助を受けにくい。イランとのつながりを指摘されているといっても、イランから得られるのは軍事支援のみです。ガザの市民にはハマス支持者もそうではない人もいる。だから、「ガザ市民が頼れるのはＵＮＲＷＡしかないんだ！　カネを出さないなんてひどい！」というわけですね。

　錦田氏は、こんなことも言っています。

〈――イスラエルのネタニヤフ首相らは、ＵＮＲＷＡの教育がテロを称賛しているなどと批判しています。

　教育カリキュラムはパレスチナ自治区全体でほぼ同じもので、ハマスが教育カリキュラムに大きな影響を与えているとは考えにくいと思います。ただ、ＵＮＲＷＡでは非常に多くの人が働いています。その教師の中に政治意識の強い人がいて、子どもを教えている時に、イスラエルからみればテロを擁護するようなことを言っている可能性はあると思います〉（傍点、筆者）

　呆れたものです。この人はＵＮＲＷＡ学校の教科書も、ＵＮウオッチやＩＭＰＡＣＴ-ｓｅの報告書も読んだことがないのでしょう。だから「……と思う」と、自分のお気持ちを述べているに過ぎない。

　いいですか、基本的にパレスチナ自治政府が作ったＵＮＲＷＡの教科書では、ユダヤ人とイスラエル人を憎悪すべきこと、彼らを殺すことは正しい行いであること、イスラエル人を殺害したヒーローこそ讃えられることが繰り返し教えられているんですよ。

無知であるにもかかわらず、自分が「こうであってほしい」ことを、あたかも「専門家としての専門知」であるかのように語るべきではありません。「思います」ではなくて、「中東政治・難民研究」がご専門なら、UNRWAの教科書くらい目を通したらどうですか。

UNRWAがなくても困らない

〈——ハマスとの関係は深いのでしょうか。

ハマスの戦闘員がUNRWAに直接関わるのは難しい。UNRWAは1万3千人の職員のリストをもともと公表しています。イスラエル側もその中身は把握していたはずです。ただ、ガザはハマスが実効支配してきました。ハマスの支持者や、何らかの形で協力関係がある人まで完全に排除することは、現実的には難しいでしょう。採用面接などでも人間関係のすべてを把握するのは困難です〉

いやいやいや、ちっとも「困難」じゃないでしょう。すでにUNRWA職員の1割はハマスの戦闘員名簿に載っていること、職員の半数の近親者にハマスがいること、12人がハマスの10・7テロ攻撃に参加したことがわかっているじゃありませんか。

錦田氏はとにかくＵＮＲＷＡとハマスには関係がないと言いたいわけ。たとえあったとしても、それはＵＮＲＷＡのせいではない、とにかくＵＮＲＷＡは必要不可欠なのだと、その存在を正当化したいのです。それは朝日新聞も同じ。次のやりとりからは、朝日新聞と錦田氏が、いかに偏向したイスラエル観を共有しているかがよくわかります。

〈――イスラエルはかねて、ＵＮＲＷＡを強く批判してきました。市民の生活支援をする機関をなぜ批判するのですか。

パレスチナ難民という存在が、やっかいなのです。「難民」には、もともといた場所に戻りたい、戻るべき人たちという意味があります。しかしユダヤ人国家を掲げるイスラエルにとっては、イスラエル領内にパレスチナ人が帰ってこられては困るのです。そういう人たちを難民として支援している国連機関は、友好的な関係を築ける相手ではありません〉

呆れてモノも言えませんね。イスラエルはＵＮＲＷＡが市民生活支援をしているから批判しているわけでも、パレスチナ難民を排除するために批判しているわけでもない。パレスチナ難民を支援するはずのＵＮＲＷＡがハマスに支援されてテロ教育を施し、あまつさえＵＮＲＷＡの職員自らがテロ攻撃を実行したテロリストだったことを問題にしているんですよ。

朝日も錦田氏も、論点をずらし、UNRWAのテロ関与問題を、「ユダヤ野郎はパレスチナ人を憎み排除しようとしているんだ」と、「ユダヤ人が悪い」論にすり替える。実際、錦田氏は、ついにこんなことを口走ります。

〈ただ、米国や英国など資金拠出を止めた国々の反応を見ると、ハマスという存在やイスラム世界への嫌悪を感じざるを得ません。米国での同時多発テロ以降に進んだ傾向です〉

彼女によると、欧米は「UNRWAにおカネを出すのはやーめた、だってイスラムのこと嫌いなんだもん」というわけです。あんたね、小学生か。それじゃうかがいますが、ではなぜ今まで年間1700億円以上のカネを欧米諸国はUNRWAに払い続けてきたのですか。テロを批判している人に対して、「おまえたちはイスラムを差別している！」と差別主義者のレッテルを張るのは、欧米の極左やイスラム主義者の論法です。

ついには「お前たちはガザの人たちに死ねというのか!!」と朝日の読者を脅迫する始末。

〈ガザの人道支援は、UNRWAが一手に担っているのが現実です。UNRWAの活動を止めることは、ガザの人たちに「死ね」と言っているのに等しい。各国の選択が、市民の命に直結します。そのことを理解しなくてはいけません〉

は？　いやいやいや、UNRWA以外にも食料支援をする団体は他にもあります。上川外相だって、記者会見でこう言ってますよ。

〈引き続き、他の国際機関への支援等を通じまして、ガザ地区の人道状況の改善、その事態の早期沈静化に向けました外交努力を、粘り強く、そして、積極的に続けていく考えであります。〉（２０２４年1月30日）

ＵＮＲＷＡ以外に選択肢がない、という〝専門家〟の主張はウソです。ガザの人からすれば、ＵＮＲＷＡであろうとＷＨＯ（世界保健機関）、ＯＣＨＡ（国際連合人道問題調整事務所）であろうと、支援物資が手もとに届くのが一番であるはずです。むしろ、ハマスに乗っ取られたＵＮＲＷＡが支援物資を掠め取るという悪弊をこの機会に改革することがガザの人々のためでもあるでしょ。

ではなぜ、〝専門家〟はＵＮＲＷＡにこだわるのか。ＵＮＲＷＡがハマスと結びついているからです。パレスチナ利権と結びついているからです。日本の外務省と結びついているからです。

ＵＮＲＷＡは２０２４年には日本に事務所を開設する予定でした。ウソをちりばめてＵＮＲＷＡを必死でかばう〝専門家〟たちは、そこで役職についたり、なにかしら仕事や利権を得たりするつもりだったのかもしれません。……なんとなく、そんな気がするのですが、邪推？　……かしら。

保存版！「テロ組織に金を出せ！」と大騒ぎした反民主主義勢力一覧表《リスト》（2024年2月1日）

左翼の人々とハマスの親和性

さて、「れいわ新選組」が2024年2月3日、「政府によるUNRWAへの資金拠出停止への抗議、及びれいわ新選組の寄附について」という声明を出しました。（reiwa-shinsengumi.com）

その冒頭はこうなっています。

〈外務省は1月28日、国連パレスチナ難民救済事業機関（UNRWA／ウンルワ《原文ママ》）への2024年度補正予算に盛り込んだ約52億円（3500万ドル）の資金拠出を一時停止すると発表した。イスラエルにより侵攻を受けているパレスチナ・ガザ地区の「壊滅的人道状況」の中で、最大の人道支援機構への妨害であり、多くのガザ住民を飢え死にさせかねない暴挙である〉

この声明がすでにいろいろな意味で間違っていることは、前項に示しました。「ガザの人たちが飢え死にするからＵＮＲＷＡへの拠出金を止めるな！」と言っている人たちはみな嘘つきか、どうしようもなく無知かのどちらかです。

「れいわ」は日本政府の拠出金停止の決定を「パレスチナ住民への集団懲罰」「ジェノサイドへの加担」と非難しているだけでなく、同じく拠出金停止を決めた米英など西側諸国を非難し、イスラエルに対しても、ＩＣＪ（国際司法裁判所）の暫定措置命令から世界の目をそらせ、ジェノサイドへの批判を相対化することに成功したと批判しています。そしてしきりと国連やＵＮＲＷＡ、ＩＣＪに寄り添い、ＵＮＲＷＡへの資金拠出停止に強く抗議するとともに、日本政府にはこれまで以上の資金拠出を求めています。

こうした主張は、日本の国際政治学者や中東研究者と完全に一致しています。

そうです。イスラエルやパレスチナの問題についての日本の国際政治学者や中東研究者の主張は、極左の主張と一致しているんですよ。

ガザの人たちが飢え死にするとウソまでついて脅しをかけ、どうしてもＵＮＲＷＡ拠出金を継続させようとするのは、なぜか。どうして他の支援機関ではなくＵＮＲＷＡでなければならないのか。

ＵＮＲＷＡと他の支援機関との最大の違いは、ＵＮＲＷＡはハマスが支配しているのに対し、他の支援機関はハマスが支配してないという点です。であれば、ＵＮＲＷＡ擁護論者はハマス擁護論者なのだと理解するのが最も合理的でしょ。

これについて私は、自著でも論じたことがありますが、極左がハマス応援団であることを証明したのがジュディス・バトラーです。(Judith Butler and the Normalization of Hamas and Hezbollah within Progressive Social Movements » ISGAP　isgap.org)

フェミニズムやジェンダーの「理論」で知られる極左イデオローグであるジュディス・バトラーは２００６年、カリフォルニア大学バークレー校のイベントで、「ハマスやヒズボラを、進歩的で、左翼的で、グローバルな左翼の一部である社会運動として理解することは非常に重要です」と語りました。

そうです。左翼はハマスをテロ組織ではなく、進歩的で左翼的な社会運動の一環だと考えているのです、ハイ。だから彼らは、ハマスのテロや暴力性からなるべく目を逸らし、あの池上彰さんや東大の鈴木啓之氏のように、「ハマスは福祉団体なんだ！」と言ってみたり、防衛大の江崎智絵氏のように、「ハマスがイスラエル人を拉致したのはガザの人々のよりよい生活のためなんだ！」とか言ってみたりする。

左翼の目的を達成する戦いにとって、ハマスはなくてはならない仲間だと理解しているのです。だからハマスを擁護する。そしてUNRWAを擁護する。おそらく「れいわ」も、ハマスを左翼運動の仲間だと理解しているのでしょ。

「れいわ」は「また、私たちはわずかばかりであるがUNRWAへの寄附を行う」と募金を呼びかけていますが、Xで同じようにUNRWAへの寄付を呼びかけている人を検索してみると、ハマスを「友達」と呼んだことで有名なイギリス労働党の元党首ジェレミー・コービン氏や、彼の著書の翻訳者の方、プロフィールで堂々と左翼宣言をしていらっしゃる方、国連広報センター所長の根本かおるさん等々、あちら系の方々が目白押しです。

ということは、UNRWAに対してどのような見解を表明しているかが、その人の立場および認識を象徴する試金石になっている、と、私はそう見ています。左に、その一覧を掲げてみましょう。

■UNRWAへの拠出金停止を決めた国と、それを支持するメディアおよび中東研究者

アメリカ

日本

イギリス
フランス
ドイツ
カナダ
オーストラリア
スウェーデン

産経新聞（強く支持）
読売新聞（消極的ながら支持）
飯山陽

■UNRWAを支持・擁護し、拠出金停止を「集団懲罰！」と非難する国々とそのお仲間

中国
ロシア
イラン

国連
UNRWA
ハマス
日本外務省

日本の国際政治学者（池内恵、鈴木一人など）
日本の中東研究者（錦田愛子、高岡豊など）
日本の「リベラル」なメディア（朝日新聞、毎日新聞など）
日本の「リベラル」なジャーナリスト（TBS須賀川拓、曽我太一、川上泰徳、黒井文太郎、安田菜津紀など）
NGO（セーブ・ザ・チルドレン、パレスチナ子どものキャンペーンなど）
NPO（日本国際ボランティアセンターなど）
日本の左翼のみなさん
れいわ新選組

いかがですか？　皆さん。世界と日本社会の構図が一目瞭然ではないでしょうか。

そしてテロは続く

そして4月2日、拠出金停止を批判する声が届き、上川外相がUNRWAへの資金拠出を再開すると発表、パレスチナ自治政府のムスタファ首相に電話でその旨を伝えました。

それに先立つ3月26日、読売新聞に「日本政府、UNRWAへの資金拠出再開へ…来日予定の事務局長からの聴取を踏まえ最終判断」という記事が出ていました。

冒頭には次のようにあります。

〈日本政府は4月前半にも、国連パレスチナ難民救済事業機関（UNRWA）への資金拠出を再開する方向で調整に入った。イスラム主義組織ハマスによるイスラエル奇襲に一部職員が関与した疑惑を受け、今年1月から資金拠出を停止していた。近く来日するUNRWAのフィリップ・ラザリーニ事務局長から再発防止策を聴取し、最終判断する〉

やはり、という思いでしたね。

日本は他国に追従するかたちでUNRWAへの拠出金を止めたので、どうせ他国に追従するかたちで再開するだろう、とみていたとおりです。

さらに、UNRWAの日本人幹部、清田明宏保健局長が来日し、自民党だけでなくあらゆる政党が彼を招いて、「拠出金を再開するように」という清田氏のありがたいお話を伺い、そうだ、早く日本は拠出金を再開すべきだ、という「意見だけ」が広まっていました。

そこには異論などほとんどない。少数あった異論はかき消され、メディアも清田氏の主張を正しいものとして大々的に取り上げ、再開一択が既定路線になっていました。

読売新聞も然り。「『住民の心　破壊された』　UNRWA・清田保健局長　ラファ惨状訴え」（3月26日）と、清田氏の主張を正しいものとして大々的に報じています。

清田氏も読売新聞も、そもそもなぜガザがこんなことになってしまったのか、それには触れません。ハマスがさっさと人質を返し、武装解除すれば、すぐに停戦が実現されることには決して触れない。ただひたすら、イスラエルが悪い、イスラエルのせいだと繰り返す。偏向報道どころの話ではありません。

そもそも、世界がなぜUNRWAへの拠出金を停止したのか、覚えていますか？

UNRWA職員がテロを実行していたからでしょ。世界の国の拠出金で運営されている国連機関の職員が、テロをやって、罪のない一般市民を殺戮していた。殺戮、レイプ、拉致に関与、協力していた。この実態が明らかになったから拠出金を停止したんでしょ。

ＵＮＲＷＡ職員の中には、ハマスのテロリストを「兼業」している者や、ハマスのメンバー、家族がハマスのメンバーである者らが大量に含まれていた。ＵＮＲＷＡの電気をハマスが使い、ＵＮＲＷＡの建物がハマスのテロ拠点になっていた。ハマスはＵＮＲＷＡのインフラを使い、ＵＮＲＷＡの資金を使い、ＵＮＲＷＡの物資を流用し、テロを行ってきた。

だから拠出金を停止したのに、この問題が全く解決されないまま、世界はまたこの偽善テロ組織への拠出金を再開し始めている。日本はなにも考えず、それに便乗することで、正しい行動をとったかのようなふりをする。

ＵＮＲＷＡの実態は洗脳教育機関です。ユダヤ人を殺し、ジハードをすることが最善だと教える、この教育自体をかえない限り、テロと破壊の連鎖は続きます。これについても、日本はなんら問題視していない。政府も、「専門家」も、メディアも同罪ですよ。

パレスチナはかわいそうだ、人道危機だ、全部イスラエルのせいだと、壊れたレコーダーのように繰り返すばかりです。結局ＵＮＲＷＡは解体されず、その根本的な問題も解決されないまま、テロと憎しみの連鎖は続くのです。

日本の政府やメディアと「専門家」がイスラム教やイスラム過激派の本質を隠す背景に

は、「弱者の味方こそ正義」という偽善があると私は考えています。その偽善と反ユダヤ主義が渾然一体となっている。日本政府がそれに絡め取られて、イスラム教やイスラム過激派についての無理解を貫けば、国益は損なわれていくばかりです。

（2024年2月6日・3月26日）

第3章

多様性と共生の社会？ すでに破綻しているでしょ！

ＬＧＢＴの矛盾と混乱で女子高は大変！

そもそも「女子校」自体が矛盾なのだ

皆さん、こんにちは。飯山陽です。お元気ですか！

さて、産経新聞が「ＬＧＢＴ女子中高アンケート」と題し、東京、埼玉、千葉、神奈川、大阪、京都、兵庫、奈良、和歌山の１都２府６県にある私立女子中高を対象に２０２３年11月から２０２４年１月にかけて実施したアンケートの回答にもとづく記事をシリーズで配信していました。

以下の４つです。

・「女性らしく」「お嬢さま」はＮＧ、指導内容に配慮　「彼氏」「彼女」は「パートナー」

・女子中高「戸籍上は男性、性自認は女性」入学検討14校　女子学院、神戸女学院も

・女子学院「絶対に認めない判断しない」、神戸女学院「今後検討」トランスジェンダー生徒受け入れ

・7割超がズボンも用意　制服にジェンダーへの配慮広がる

これらの記事から明らかになったのは、女子校の歴然とした矛盾です。結果として想定されるのは、とてつもない大混乱と言えるでしょう。

たとえば〈「女性らしく」「お嬢さま」はNG、指導内容に配慮〉の本文にはこうあります。〈女子生徒だけの教育環境であっても、多様性を尊重する潮流を背景として、「女性らしさ」「お嬢さま」といったジェンダー（性差）を強調する表現が避けられる傾向が目立った。「『女性らしく』『男性ならでは』など性差を強調するような発言には、十分に注意することを教職員に指導している」〉

「（性の）多様性を尊重」と言いながら「性差」を否定する。これは矛盾です。「多様性の尊重」と言いながら、「お嬢さま」といった特定の表現や発言を禁じる。これも矛盾です。

いや、性差を否定しながら、性差を前提とする「女子校」であり続けることがそもそも矛盾ですね。女子校が本当に「性の多様性を尊重」するならばまず、女子校であることをやめなければならないわけでしょ。そして無条件に、「性的自認」がなんであるかなど問わず、だれでも受け入れればいい。

「性の多様性」論者は、「性は人の数だけ存在する」と主張します。だったら全ての性、全ての人を受け入れればいい。そして体育の授業も水泳の授業も、着替えから何から何まで、みんな一緒にやればいい。宿泊を伴う行事も、みんな一緒の部屋にすればいい。生物の授業でも保健の授業でも、性は人の数だけあると教えればいい。これまで教えられてきた生殖の仕組みは、あれは古い因習にとらわれたまちがった知識なのだと、教えればいい。部活もひとつのチームにし、我々は性の多様性を尊重するんだといって男女混合チームで他校と対戦すればいい。

ところが彼らはそうはしない。

「我々は女子校でありつづけ、性の多様性を尊重するために、心は女だという男も受け入れるんだ」などと主張する。私の脳は矛盾を嫌います。読むだけで脳内にバグが発生します。

校内での言葉遣いに配慮する学校は多く、光塩女子学院中等科・高等科（東京）は「女子校だからといって性自認が女性であるとは限らない」との認識から、家族や将来設計を教える際に「彼氏」「彼女」という言葉を使わず、「パートナー」と表現するように求めているという。「言葉遣いに配慮」という言い方で、言葉狩りをしているのです。

なぜ「性自認が女性ではない女」の前で「彼氏」とか「彼女」という言葉を使ってはいけ

ないのか。そんな合意、誰がいつ作ったんですか？　私は知りませんよ。

誰かにとって不快な表現を一切使ってはならないとすれば、人間は表現を失います。誰にとっても不快ではない表現などあるわけがない。「パートナー」という言葉に不快感を覚える人だっていくらでもいます。しかし彼らは、「彼氏」や「彼女」はダメだが「パートナー」はＯＫだと勝手に決める。テキトーな基準で特定の言葉を禁じ、別の言葉を押し付ける。

こんなものは価値観の押し付けであり、「多様性の否定」でしかない。それを「多様性の尊重」の名の下に行っている。おかしくありませんか。

北豊島中学校・高校（東京）は保護者に向けた生徒の呼称を「お嬢さま」から「お子さま」に。雙葉中学校・高校（同）も朝礼などで「女性」という代わりに「人」を使うのだそうです。うちの生徒は「女の子」ではない、「子」なのだ、というわけです。ならばなぜ、あなた方は「女子校」であり続けるのかという問いに戻らざるを得ない。

「うちは女子校です！」と宣言しながら、「うちの生徒は女か男かわかりません！」と言う。自己矛盾がすぎやしませんか。それでも学校ですか。

「女性」を使わず「人」を使う？　ならば、女性の社会進出や女性と男性の平等について、双葉はどう教えるのか。男に対する女の割合を示すジェンダーギャップ指数を、「女」という言葉、性差を用いずにどう教えるのか。

男女を分けること、性差を強調することが間違いであるならば、今後は未来永劫にわたって「ジェンダーギャップ」などという言葉は口にしないでいただきたい。

男女を分けなければジェンダーギャップは存在しない。ジェンダーギャップとは性差そのものではないですか。

自民党女性局はただちに解散でしょ

これは女子校の矛盾だらけの対応だけでなく、日本政府の対応にも言えることです。政府はLGBT法を成立させて、「性差をなくせ、多様性を尊重しろ」と言う。ならば、「男女共同参画」とか「ジェンダーギャップ」という名の法律や組織やプロジェクトはただちに廃止しなければならないはずです。女性活躍推進法だの自民党女性局だのも廃止すべきです。これらはすべて、性差を前提とし、性差を強調するものだからです。「女性ならでは」発言など言語道断です。

朝日新聞デジタルにも〈「褒めたつもりで炎上、致命的」　岸田首相「女性ならでは」に失望〉というこんな記事が出ています（2023年9月15日）。

〈「女性ならではの感性や共感」に期待――。女性閣僚を過去最多タイとなる5人登用した岸田文雄首相が、13日の記者会見でそんな発言をした。「男性ならではの感性って言う？」「昭和か」「ダサすぎて泣けてくる」。SNSでは疑問や失望の声が広がった。識者はジェンダー平等に対する意識の欠如を指摘する〉

というか、性差を勘案しないならば、そもそも内閣に女が何人いるかなんて、どうでもいいじゃありませんか。朝日はなぜ、「性差を強調するな！　性は多様だ！」と言いながら、内閣に女が少ないとか、ジェンダー平等意識が欠けているなどと強調するのか。これも矛盾です。

政府も学校もメディアも、性の多様性を尊重しろと主張しながら、女を議員にしろだの、女を家庭にしばるな、女を社会で活躍させろだの、とにかくうるさい。性差をなくせと喚《わめ》きながら女性専用車両を作り、大学に女性を優先的に入学させろと騒ぐ。「女性が子供を産みやすい社会にしろ」と言うのは、つまり前提として女性しか子供を産めないことを認めているってことでしょ。こうしたたわごとは社会を混乱させるだけだっちゅう話ですよ。

割を食うのは女です。

・肉体的な男がいるかもしれない中で、着替えをする
・肉体的な男がいるかもしれない中で、風呂に入る
・肉体的な男がいるかもしれない中で、スポーツをする
・肉体的な男がいるかもしれない中で、トイレに入る
・肉体的な男がいるかもしれない中で、眠る

ほかにも社会のさまざまな人たちが割を食うことになります。

・自称女の肉体的男が、学校で女子生徒を襲ったら先生はどうするのか。
・自称女の肉体的男が、女子風呂で女性を襲ったら、従業員はどうすればいいのか。警察はどう対応すればいいのか。
・自称女の肉体的男が、女子のスポーツ大会でメダル総なめ状態にしたらどうするのか。
・自称女の肉体的男が、女子のスポーツ推薦枠を独占してもいいのか。
・自称女の肉体的男は、女子のプロスポーツ選手になれるのか。

・自称女の肉体的男を、病院はどうあつかえばいいのか
・自称女の肉体的男が、婦人科検診を受けたいと言ったらどうすればいいのか

　これに加えて政府はイスラム教徒を、外国から労働者として大量に受け入れようとしています。性の多様性を絶対に認めないいいいいイスラム教徒を大量に受け入れながら、性の多様性を社会に押し付けるのは社会を混乱させるだけでしょ。そうなれば性暴力をはじめ、さまざまな問題があちこちで噴出し、社会は疲弊し、弱体化します。
　日本を貧しく、弱くしたいと願う人たちにとって、「性の多様性」なる概念は実に有用なんです、ハイ。

（2024年2月11日）

加藤鮎子大臣の「半裸ダンスは多様性が進んでいないから」え？

何でもかんでも多様性ってバカか！

皆さ～ん、お元気ですか⁉

さて、自民党の和歌山県連が主催し、党青年局幹部や若手地方議員らが参加した2023年11月の会合後、懇親会の余興として半裸の女性ダンサーたちのパフォーマンスを楽しんだことがバレて大問題になりました。ダンサーに口移しでチップを渡す参加者もいたそうで、余興を企画した和歌山県連青年局長の川畑哲哉県議会議員は離党、自民党青年局の藤原崇局長と中曽根康隆局長代理は役職を辞任しています。

具体的にわかりやすく言えば、自民党の青年局の議員が和歌山で会合を開いて、ほとんど裸で踊っている女を眺めながら、青年議員（と言うてもみんなおっさんやねん）が「どうもオツな眺めでげすな。へへへ」かなんか言って一杯やって、中には口移しでチップ渡して……って、お札というのはバイキンがいっぱいついていて不潔なんだよってお母さんに習いませんでしたか？　ついでにそのお姉ちゃんのお尻を触るとかいうね……まあまあまあまあ、そんなことをして遊んでいたのがバレたわけです。

でも、自民党って、戦後70年も政権を担いながら、たぶん今回はたまたまバレただけで、全国各地でずっとそんなことをしてたんじゃないかって話ですよ。それだけでも国民は大ドン引きなのに、さらに火に油を注いだのが、「加藤鮎子女性活躍担当相は12日の記者会見で、露出の多い衣装の女性ダンサーを招いた自民党和歌山県連主催の会合について『自民党の組織のダイバーシティ（多様性）が十分に進んでいないという問題が今回の事案の根底だ』と批判した」と報じた産経新聞（2024年3月12日）の記事です。

あんたネ、んなわけねーだろ。自民党の若手議員って、ちょっとびっくりするほど何かが足りないというか弱いというか、どことは言わないですけど何かが決定的に足りない。最近では問題が起きたら何でも「多様性」と言っておけば済むと思っているようで、半裸女ダンサーを会合に招いた川畑県議も、このように釈明しています。

〈会合でテーマとして掲げた「多様性」「ダイバーシティ」というテーマに沿った和歌山にゆかりのある方で、問題提起として、メッセージ性の高い諸々の要素の中から最終的にダンサーを選択して、私から提案した。いろいろな生き方や暮らし方、いろいろな仕事に「多様性」が含まれていると私は理解している〉（Ｙａｈｏｏ！ニュース　2024年3月21日）

自民党の皆さん、気は確かでしょうか。

青年局長の後任には女性の鈴木貴子議員が就任しました。これも「多様性」だというのでしょう。若手議員がハレンチパーティを開催するのも多様性、それがバレたら批判するのも多様性、問題解決を図る方便も多様性。なんでもかんでも「多様性」です。

党内だけではありません。安く使える外国人労働者を日本に大量に受け入れる方便として利用しているのも「多様性」。不法滞在外国人の違法・触法・迷惑行為に悩み、苦しむ日本人を捨て置く方便として利用しているのも「多様性」。

「多様性」によって、本当に日本や日本人が豊かになり、恩恵を受けることが、はたしてあるのでしょうか？

話は戻りますが、加藤鮎子氏はハレンチパーティの問題の根幹にあるのは自民党における多様性の欠如だと言った。ということは、ハレンチパーティに裸の男や、裸の「その他の方々」も呼べばよかったということになる。それなら彼女は納得した？　多様性というのはそういう意味です。あれでも足りないというのなら、イギリスの人気ＴＶオーディション番組でバカ受けした「とにかく明るい安村」氏でも呼べばよかったということでしょうか。

彼女は完全に、問題を履き違えている。あえて論点をずらしたのか、本質を理解していないのか、それはわかりませんが、問題の根幹は、自民党の議員が、一般人と完全にかけはなれた感覚、倫理観を持っているという点です。

ハレンチパーティをしたい人はすればいい。しかしそれを、党の会合でするという感覚は、一般人には到底理解できない。しかも彼らはそれを「多様性」のひと言で正当化するわけです。

いやいやいやいや、もっと言えば、いま自民党が進めている多様性というのは「人の数だけある」そうで、そもそも男とか女とかという概念はないと言っている人もいる。だったら、男と女に分けること自体が二分法だから、多様性に反するじゃないですか。だったら加藤さん、あなたが席を置いている女性局を真っ先に撤収しなさいって話ですよ。なんで女性のためだけに局なんか作ってエッフェル塔の前で写真撮ってるんですか。

いまの自民党は経済界と一緒になって日本にはとにかく安く使える外国人労働者が必要だということになっています。だけど、それを「移民」って言うと国民の反発が大きいから変な名前つけている。その名も「特定技能2号」。敗色濃厚となったかつての日本陸軍が開発していた秘密兵器「鉄人28号」か、幻のサツマイモ「農林二号」のようですが、こうした名前に言い換えることによって、実質上の移民が5年間で最大82万人、日本に押し寄せます。

日本語もほとんどわからない、日本とは全く文化的背景の異なる倫理観、人生観、世界観を持った人たちが82万人。しかもこれは労働者の数で、家族帯同が認められていますから、1人が10人家族を連れてきたら820万人。ほぼ1000万人ですよ。

人数に上限はありませんから、20人でも30人でも100人乗っても大丈夫。このめちゃくちゃな方針も多様性っていう言葉で正当化されます。何人でもけっこう、100人いれば100の多様性がある。大いにけっこう。日本は多様性を大事にします。異なる文化を持つ人たちのその異なる文化を我々日本人が尊重すれば日本という国はもっと豊かに、強くなる！　いや、それ嘘だって。

いまでもすでに外国人居住者との軋轢が全国各地で起こっています。これも「多様性」という言葉で正当化されている。

もちろん、なかにはきちんとビザを取って合法的に滞在している方もたくさんいらっしゃるとは思いますよ。そうじゃなくて、滞在許可を取得せずに、いわゆる「(仮)」付きで滞在している「仮放免」の人たちがものすごくたくさん集中している地域が日本にある。それが埼玉県川口市というわけです。

川口市方面に住んでいる人たちは、「仮放免」の人たちのせいで日常生活が脅かされている。おじいちゃん、おばあちゃんや、小さなお子さんを持つお母さんたちに対しては、政治家は日本国民のそういう不安にまず向き合うべきでしょ。にもかかわらず、彼らが異口同音に主張するのは「何てたって多様性」です。日本国民一人ひとりの不安や安全を顧みることなく、「多文化共生」なんてあらぬ言葉を口にするわけです。

そんなことやっていて、本当に日本が「強く豊かに」なるんですか。もう一度言います。

んなわけねーだろ！

自民党の若手議員は特権階級

結局ね、自民党というのは、日本を弱体化するようなワケのわからない政策を正当化するために「共生」という言葉を使い、自分たちの不祥事をもみ消すために「多様性」という言葉を使っているんです。

話を加藤鮎子さんに戻すと、彼女は、問題の根幹は自民党における「多様性の欠如」にあると言っていますが、そんなにご謙遜なさることはありません。はっきり言えば、自民党の政治家の異様なまでの「倫理感の欠如」です。

言い換えるならば、われわれ一般人と自民党議員っていうのはあまりにも異なる感覚を持っているということです。いや、いいですよ、裸の女が踊るハレンチパーティー、いいじゃないですか。そう、人にはそれぞれいろんな好みがありますから、全然いいんですよ。

だけど、党の会合の後に裸の女を呼んで乱痴気騒ぎをしようっていうその感覚がわれわれ一般人とは相容れない。

有益な「多様性」議論を交わし、仕事が終わった後で、友だち同士でやりゃいいじゃんって話ですよ。そう言うと彼らは、「いやいや、党の会合って言ったって、公費は使っていませんよ」とかって言って偉そうにする。いやいや、いやいや、自民党という公党には「政党助成金」っていうのが入っています。それはね、「税金」ですよ。

公費じゃないですか！　あなた、いったい何を言っているんですか。自民党の党費は公費じゃないなんて、そんな異様な感覚、われわれとここまで異なるその倫理感。どうしてあれほど倫理感がないのか、なぜ普通の人の正常な倫理観とかけ離れているのか。

それは、彼らが「特権階級だから」です。

いまや特権階級の人間しか政治家になれないんです。今回の責任をとって辞めた自民党青年局の中曽根康隆局長代理にしてからが、おじいちゃんは政界の風見鶏にして大勲位、中曽根康弘元総理大臣。お父さんは中曽根弘文元外務大臣です。

破廉恥パーティーを批判した加藤鮎子女性活躍担当相にしても、お父さんは「総理にいま最も近い男」と呼ばれ、「宏池会のプリンス」と呼ばれたあの加藤紘一さんです。

だからなんで国会議員になったのって聞かれたら、「おじいちゃんが総理大臣だったたから」「パパがプリンスだったから」ということでしょう。国会議員が家業だからなっているわけで、日本の国益のためとか、日本人の生活を豊かにしようとか、そんな気持ちはこれっぽっちもない人たちが政治家をやっているから、裏金問題や破廉恥パーティーみたいな問題を起こすんですよ。

〝世襲〟だから、外部の普通の人たちの感覚がないわけ。先述の産経新聞によれば、加藤担当大臣は会合の内容を「極めて不適切な余興」と批判し、「仮に女性の参画がしっかりと確保されていたのであればあのような演出にはならず、その上で国民の不信を招いたことは極めて遺憾である」と指摘したそうなんです。

こう言っては何ですが、加藤鮎子さん、国民の不信を招いた極めて遺憾な存在は、女性であるあなた自身の存在ではありませんか。

たくさんの人が見ていましたよ。2024年3月4日の参議院予算委員会で、野党から「未婚率の増加の原因」を問われ答弁書を片手にしどろもどろになる加藤鮎子・こども政策担当相の醜態を。

「未婚化の原因につきましては、はい、え〜……。ちょっとお待ちください、すみません、あっ……」

答弁書をまともに読み上げることすらできず、オロオロする。答えに窮すると涙ぐむ。いやいやいや、あなた女性として女性の活躍とか子供政策にしっかり参画していないんですか？　あなた女なのに、あなたの存在自体が、我々国民の不信を招いていますよ。なに「遺憾」とか言っているんですか。

あなたはいったい何で政治家やってんですか？　少子化担当大臣としていったい何を考えているんですか？　なぜ未婚化の原因といった漠然とした簡単な質問になんで答弁書がないとろくに答えられないんですか？

彼女のような、世襲で、多少見た目のいい女を議員にしておけばいい、大臣にすれば文句ないだろという、この自民党の体質。何でも「多様性」と言っときゃ済むという、思考停止のメチャクチャな態度。自分の頭で政治を考えようという気が毛頭感じられません。

この一件は、自民党という政党、そして自民党政治というものが末期症状を呈していることを物語っています。

あの女はしょせん世襲議員で、ちょっと見た目がいいから男たちにチヤホヤされて、大事にされていたんでしょう。勉強もしないでただ給料だけもらっているんじゃないのって言われても仕方がないって話ですよ。

青年局の議員が遺憾なだけでなく、あなた自身が十分イカン。そもそも女の参画が足りないとか言って、自分が女で大臣になっておきながら、ろくに働いていないじゃないですか。

ダイバーシティだか多様性だか未婚率の増加とか、なんだかよくわからんが、とりあえず女をいれておけばいいんでないの、という風潮が透けて見えます。

自民党青年局長を辞任した藤原崇氏の後釜に据えられたのも鈴木貴子氏です。あの鈴木宗夫氏の娘ですよ。だから、とりあえず女にしておけばごまかせるだろうという、結局は方便なんですよ。

こういった考え方は本当にやめていただきたい。逆に、あんな年端もいかない、自分を表現することもできない若い女を、子供担当大臣だとか女性活躍大臣だとか高いポストに置いたらまずいということを実証したのが加藤鮎子さんです。これはまずい。国会の質疑応答レベルが学芸会以下……なんて言ったら、小学生に叱られますよ。

いまどきの小学生は学芸会のセリフもちゃんと練習して正確にしゃべれるようになっています。この質問に対してこの答弁を丸読みしろと言われたら。とてもじゃないが、加藤さんとはレベチの答弁ができますよ。本当に世の中の女をナメないでくださいあんたが大臣になろうがなるまいが、それ以前に頑張っている女はたくさんいるんですよ。社会で働いていなくたって、世の中で仕事をしていなくたって、家で一生懸命子供育ててるんです。子育てはもっと社会的に尊敬されるべき重要な仕事です。主婦だって、家計を算段し、将来の投資を考えることによって日本経済に大きく貢献する仕事です。あまりに過小評価されていませんか。答弁の一つさえ暗記も丸読みもできないね、そんな女が女性活躍担当大臣だとかって、笑わせせんじゃないよ。どれだけ女をバカにすれば気がすむんですか！

こういうこと言うとすぐ、いじめだとかなんだとか言う人がいるんですが、相手は権力者、こちらは一般人ですよ。国を誤るような政治家はどんどん批判し、辞めさせるべきです。しかも近ごろは男が女を批判するのがやりにくい風潮にある。やれジェンダー差別だの、やれフェミニスト弾圧だのと、ヘタすれば社会から抹殺される恐れさえあります。だから私がやる。文句あるか。

（2024年3月12日）

千葉県の皆さん！「日本の女は犬やロバ以下」を認めますか？

イスラムでは女は男の半分の価値しかない

さて、千葉県でいわゆる「多様性尊重条例」なるものが成立しましたね。

ＮＨＫのサイト「千葉県『多様性尊重条例』が成立　どんな条例？　パートナーシップ制度など規定せず〝理念〟掲げる」（ちばＷＥＢ特集　２０２３年12月19日）によると、千葉県の熊谷俊人知事は、公約に掲げた「多様性尊重条例」が今回成立したことを受け、「多様性を尊重する理念を多くの議員の方々と共有し、スタートに立つことができた重要な節目だと思います。条例の意義を広く周知し、具体的な政策を実施していくとともに、誤解に基づく懸念に対して理解してもらえるようにしたいと思います」と述べています。

これに対し、産経新聞の「外国人参政権、女子トイレ…自民の申し入れも成立　千葉県多様性条例　岩盤保守層失う恐れ」（２０２３年12月19日）によれば、自民党千葉県連の阿部紘一幹事長が、以下３点について熊谷知事に「特段の配慮」を求める申し入れをしたとのこと。

（1）日本の歴史や伝統文化を大切にする
（2）夫婦別姓や同性婚、外国人参政権などへの慎重な対応
（3）女子トイレや公衆浴場での安全安心な環境を守る

しかし私個人としては、そもそもこの条例が、多様性なるものの本質を理解せず、それが「いいもの」であることを前提に無邪気に推進していること自体に問題があると思いますよ。千葉県はこの多様性尊重条例の骨子案を公開し、その「趣旨」を次のように書いています（https://www.pref.chiba.lg.jp/seisaku/iken/2023/documents/kossian.pdf）。

・私たちの社会は、年齢、性別、障害の有無、国籍及び文化的背景、性的指向及び性自認など様々な違いがある人々で構成されている。（傍点、引用者）
・全ての人々が、多様性を尊重することの重要性を理解し、互いに認め合い、連携し、協力することが、相互作用と相乗効果を生み出し、社会の活力及び創造性の向上につながるという認識の下に、あらゆる人々が差別を受けることなく、一人ひとりが様々な違い

がある個人として尊重され、誰もが参加し、その人らしく活躍することができる社会をつくっていく必要がある。

・現在、人口減少やグローバル化の進展、技術の革新など、様々な社会環境の変化が同時かつ複合的に発生しており、こうした変化に的確に対応していくためには、多様性がもたらす活力や創造性が重要となる。

ここでは、全ての人が多様な文化的背景を尊重すると、社会に活力と創造性が生み出される、だから多様な文化的背景を尊重しなければならない、ということになっているワケ。は？　これってホントでしょうか？

私が着目したのは「文化的背景」という点です。文化というのは、その人の生き方です。生き方などというものは、それこそ民族・個人によって多種多様です。

私の研究しているイスラム教という宗教は、信者に対し、生まれてから死ぬまで、ありとあらゆる言動を、イスラム教の教義に従って行うことを義務づけています。

イスラム教徒にとっては、イスラム教の教義に従って生きることが当たり前であり、彼らにとってはイスラム教こそが自由であり、思いのままにイスラム教の教義に従って生きることを自由だと信じているわけです。

ですからイスラム教においては、全身を黒い布で覆い隠した女性こそが「解放された自由な女性」だということになるんです。イスラム教における「自由な女性」は、啓典「コーラン」やハディース（預言者ムハンマドの言行の記録）などで、次のことを受け入れなければならない義務があると定められているわけです。

まず、イスラム教における「自由な女性」は、自分に男の半分の価値しかないことを認めなければならない。なぜならコーラン第4章11節、第2章282節にそうあるからです。

またイスラム教における「自由な女性」は、父親や夫など自身の「後見人」に絶対服従しなければならない、服従しない場合には殴られても仕方ないと認める必要がある。なぜならコーラン第4章34節にそうあるからです。

イスラム教における「自由な女性」は、夫が自分を離婚し他の女と取り替えたい場合には、それを認めなければならない。なぜならコーラン第4章20節にそうあるからです。

イスラム教における「自由な女性」は、女は出産と育児のための存在だということを認めなければならない。なぜならコーラン第65章6節にそうあるからです。

イスラム教における「自由な女性」は、女が不浄な存在だということを認めなければならない。なぜならコーラン第5章6節にそうあるからです。

イスラム教における「自由な女性」は、女が知性の点でも信仰心の点でも劣っており、地獄の住民の大半は女であることを認めなければならない。なぜなら真正なハディース（ブハーリー　1-6-301）にそうあるからです。

イスラム教における「自由な女性」は、女が犬やロバと同等であることを認めなければならない。なぜなら真正なハディース（ブハーリー　514／8-161）にそうあるからです。

イスラムの「文化を尊重」するというのは、これらの規範を尊重するということですよ。つまり、全身を布で覆い隠しているのが自由な女性であり、自由な女性の価値は男の半分であり、男に服従しなければならず、逆らったら殴られるものだと受け入れ、夫に捨てられても仕方ないと受け入れ、自分は出産と育児のための存在だと認め、知性も信仰心も劣っていると認め、犬やロバと同等だと認めなければならないと、そういうわけです。

千葉県民の全てが、あるいは日本国民が、こうした「文化を尊重」することで、いったいどうやって「社会に活力と創造性が生み出される」というのか、私には全くわかりませーん。

もちろんこれは、イスラム教の女性についての規定のほんの一部であり、イスラム教にはこのほかにも、我々の文化、規範、法に抵触する規定が山のようにある。我々のように、イスラム教徒ではない者にも直接関わってくる規定も多くあります。

たとえば、イスラム教では全身を覆い隠し、なおかつ、男性親族に伴われている女性だけに尊厳があるとみなします。

なぜならコーラン第33章59節に、尊厳のある女性だと認められるためには長衣をまとえとあるからです。長衣をまとわず、ヒジャーブ（顔以外の頭、首を覆うベール）をしない女には尊厳が認められない。これは、性的な攻撃を受けても仕方がない、その女が悪いのだ、という意味です。

また、ハディースには「神と最後の審判の日を信じる女性が一昼夜旅行することは、マフラムと一緒でなければ許されない」ともある（https://sunnah.com/bukhari:1088）。マフラムというのは父親や夫などのことです。

尊厳があってもなお、女の価値は男の半分で、男に服従しなくてはならず、知性も信仰心も弱く、犬やロバと同等なのです。それでもまだ尊厳があるとみなされるだけマシです。

しかしヒジャーブをせず、長衣もまとわず、男の親族の付き添いもなく外を歩いているような女は、尊厳のない女なので、これはもう何をやってもいい奴隷女だとみなされます。コーラン第4章3節には「右手の所有物」という概念が出てきます。「右手の所有物」というのは奴隷女の意味であり、これはイスラム法のなかで正しい概念として規定されています。

アズハル大学の女性教授スアード・サーレフ氏がこちらのサイト〈Al-Azhar Professor Suad Saleh: In a Legitimate War, Muslims Can Capture Slavegirls and Have Sex with Them（Archival）www.memri.org〉で解説しているように、戦争で敵側の女性を捕らえたイスラム教徒は、彼女たちを「右手の所有物」、つまり性奴隷として所有することができるんです。

サーレフ教授は、これは異教徒の女を辱めるためであるとし、イスラム教徒の男たちは自分の妻と性交渉できるのと同様に「右手の所有物」と性交渉できると解説しています。

加えて「コーラン」第5章51節はイスラム教徒に対し、異教徒を仲間とするなと命じている。あるいは「コーラン」第3章28節は、自らの身を守るためならば不信仰者を友にしてもいい、つまり不信仰者を利用するならばかまわない、ともあります。

特に近代のイスラム教指導者たちは、イスラム教で最高の善行と規定される「ジハード」

（いわゆる聖戦）について、これは単に武力によって敵を滅ぼすことだけではなく、西側諸国への移住や、布教、出産、恋愛などもまた「ジハード」つまり、イスラム教の世界征服に寄与するための努力なのだと教えているんですよ、皆さん。

イスラム教徒が多く移住した欧米諸国で、イスラム教徒の男による異教徒の女子や女性に対する強姦事件が無数に発生している背景には、こうしたイスラム教の教義があると考えざるを得ません。彼らは異教徒の女を強姦することが、イスラム教徒の男としての権利であると信じ、あるいはそれが義務であると信じている可能性すらあるわけです。

これもまた、彼らの「文化」です。多様性が大事ですから、こういう文化も認めましょうね、なんていうことになっていいのでしょうか。

千葉県民の全てが、あるいは日本国民が、こうした「文化を尊重」することで、いったいどうやって「社会に活力と創造性が生み出される」のか、私には全く理解できませんね。理解できる方います？

多様性尊重の問題は、女子トイレや女子風呂の問題に矮小化されていいものではないっちゅう話ですよ。多様性を理解し、尊重すれば社会に活力と想像力が生み出されるなどという現実から乖離した妄想に国全体がとらわれれば、日本が「異文化」に侵略される日は、そう遠くないいっちゅう話です、ハイ。

（2023年12月21日）

日本のイスラム教国化が九州から少しずつ進んで来ている

イスラム教徒以外は全員地獄に行きます

皆さん、お元気ですか？

「日本は21世紀にイスラム教国になる」

日本国内で、ある人物がこのように述べた動画がバズっています。

ある人物とは、立命館アジア太平洋大学の教授であるカーン・ムハマド・タヒル・アバス氏。当該動画はこちらです（https://www.youtube.com/watch?v=YO6dfG3ae0Q&t=1s）。

2022年10月31日にアップロードされたもので、説明欄にはIslam for love and peace Dr.Tahir Abbas Islam Seminar in Kyushu Fukuoka（https://www.youtube.com/watch?v=YO6dfG3ae0Q&t=1s）とあります。九州・福岡で開催された「イスラム・セミナー」で、タヒル博士が行った「愛と平和のためのイスラム」という講演の一部のようです。

この動画でタヒル博士は、次のように述べています。

〈インシャーアッラー、日本は21世紀にはイスラム教徒の国になるでしょう。アッラー（神）の御加護がありますように。アッラー（神）が、私たちがこの仕事をするのを助けてくださいますように〉

インシャーアッラーというのは、アラビア語で「もし神がお望みならば」という意味です。イスラム教徒は未来のことを話す時には、かならずインシャーアッラーと付け加えなければならない、というのが、イスラム教の教義です。

神がお望みになるなら、日本は21世紀には、つまり今世紀のうちにイスラム教徒の国になるでしょう、という言葉を聞くと、日本人はドキッとするでしょうが、これはイスラム教徒としてはごく当然の言葉なんですよ。

というのも、神は最終的には全世界がイスラムの国になることをお望みであり、個々のイスラム教徒はそのために努力（ジハード）するのが義務である、ゆえに日本に住んでいるイスラム教徒が、日本をイスラム化するために努力（ジハード）するのは当然であり、早くそうなるといいね、と発言するのもごく普通のことだからです。

イスラム教徒にとっての「普通」と、日本人にとっての「普通」は、これほど違っている。

日本人にとっては、日本が日本であり続けるのが普通であり、そうあってほしいと思うのが普通ですが、イスラム教徒にとっては日本がイスラム国家になるのが普通であり、そうなってほしいと思うのが普通なのです。

そして彼らは、それが普通であり、当たり前であると思っているだけでなく、それが日本人にとってもいいことなのだ、と信じていることを知っておいてくださいね。

なぜならイスラム教では、イスラム教徒以外は基本的に全員、地獄に行くことになっているからです。日本人は今のままだと、ほとんどの人が地獄に行く。我々が日本人をイスラム教へと導き、それによって日本人を救ってあげようと、彼らはそう思っているんです。

だからこれは、ほぼほぼ「善意」でもあるっちゅう話ですよ。

彼らにとっての「善意」が、日本人にとっての善意とは限らない。日本をイスラム国になどしたくない日本人にとって、こうした善意はありがた迷惑です。

これは日本に対する侵略だと憤慨する人もいるでしょう。しかしこれが多文化共生、多様性のある社会の結果です。日本でいま政治家、財界人、著名人、学者たちがこぞって目指している社会では、そういう考え方が当たり前になっていくのです。

申し上げておきたいのは、カーン・タヒル氏が単に1年前のこの講演で「21世紀に日本はイスラム教国になる」と言っている、だけではないということです。
彼は、立命館アジア太平洋大学（APU。大分県別府市）の教授であると同時に、別府ムスリム教会の代表でもあり、もう7年ほど、大分県日出町にイスラム教徒のための土葬用墓地を建設するための運動、活動を続けています。NHKをはじめ、ほぼ全てのマスコミが、この問題を何度も報じ、カーン氏もテレビ画面や新聞紙面に頻繁に登場しています。
〈日出町 イスラム教徒土葬墓地 開設に向け9日にも地元と合意〉（大分 NEWS WEB 2023年5月8日）
〈イスラム教徒の土葬墓地開設 日出町議会が教徒団体と意見交換〉（大分 NEWS WEB 2023年11月21日）
次の見出しでもわかるように、メディア報道は概ね、イスラム教徒に同情的なようです。
〈「やっと見つけた場所」イスラム土葬墓地に〝待った〟住民から反対〉（西日本新聞 2020年11月3日）
この土葬用墓地建設問題以外でもカーン氏は、たとえば別府市内でパレスチナの旗や「パレスチナ解放！」と書かれた垂れ幕を掲げて反イスラエルデモを行い、話題になっています。

そのデモを報じた記事がこちらです。

〈「子どもたちが亡くなっている」イスラエルとハマスの軍事衝突に反対訴え　ムスリム教会がデモ活動

1か月以上続くイスラエル軍によるガザ地区への攻撃。大分県別府市では17日、軍事衝突に反対するデモ活動が行われました。（中略）デモ活動を呼び掛けたのは別府市の別府ムスリム教会です。イスラム教徒や立命館アジア太平洋大学の学生など約100人が参加し、市内で約1時間にわたり停戦を訴えました。

◆別府ムスリム教会　カーン・ムハマド・タヒル・アバス代表「子どもたちが亡くなっている。それを見たら心が痛い」〉（TOSオンライン　2023年11月17日）

この記事では巧妙に隠されていますが、カーン氏は別府ムスリム教会の代表であるだけでなく、立命館アジア太平洋大学（APU）の教授でもあります。その人がAPUの学生を動員して「パレスチナ解放」のデモを組織している。

大分県にムスリム用の土葬墓地を作る活動や、パレスチナ解放のデモ活動を行い、福岡県で「21世紀に日本はイスラム教国になる」と講演しているわけです。

土葬墓地はイスラム教徒の日本定住に必要不可欠ですし、パレスチナ解放というのは世界のイスラム化の一里塚です。日本ではすでに在日イスラム教徒によって、日本をイスラム教国にするための活動が、着々と進められているんですよ。ヤバいですよ。

それをメディアが支援している。政界も財界も後押ししている。なぜならこれこそが「多様性のある社会」「多文化共生社会」であり、日本は多様性のある多文化共生社会になれば、「もっと強く豊かな国になる！」と言われているからです。

しかし、そんなワケねーよっちゅう話です。それは脳内お花畑の人たちの自己満足であり、さらに言えば、外国人労働者を受け入れ賃金を安くあげたくてたまらない人たちの大ウソですね－。

「もっと儲けるためには外国人労働者が必要だ！」と正直に言わないかわりに、「外国人労働者が日本にたくさんくれば、日本社会はもっと多様に豊かになる！」とウソをついているのです。

これは、ヨーロッパ諸国で政治家や資本家たちがやってきたこと、そのものです。

こうしてヨーロッパ諸国は大量の移民難民を受け入れ、その結果、各々の国の文化、社会が破壊され、治安が著しく悪化しちゃいました。

繰り返しますが、日本を、世界全部をイスラム化するのは、イスラム教徒にとっては宗教的義務であり、あくまで「善意」によるものです。その「善意」に、多文化共生云々という「善意」で答えれば、結果的に日本は遅かれ早かれ、本当にイスラム国になります、ハイハイ。

ヨーロッパ諸国の中にはすでに、人口の2割、3割がイスラム教徒という国が現れていますからね。イスラム教徒の人口増加の割合を勘案すると、彼らが過半数を占める国が21世紀中に出てくる可能性は大ですね。

日本はもうすぐイスラム教国になると聞いても、「そんなバカな」と笑い飛ばす人がほとんどでしょう。しかしヨーロッパでは、「我が国は21世紀にイスラム教国になる」という懸念はすでに、実現可能性の高い未来なんですよ。

（2024年2月3日）

共生ポリコレメガネの岸田総理、仰天！亡国メッセージ

「国連が決めたことは絶対だ」なんて誰が言った

さて、岸田総理が首相官邸ホームページに、「令和6年2月5日　共生社会と人権に関す

るシンポジウム　岸田総理ビデオメッセージ」をアップしています。

いやまあ、それはいいんですよ。官邸のホームページに総理がビデオメッセージをアップする。何も不思議なことはありません。ところが、その内容はと見てあれば、なんと日頃から私が「そういうことを言ってはいかん」「それだけは言わないでくれ」「いくら何でもその言い草はないだろう」——つまり、「こうなったら日本はいよいよヤバい」という発言のオンパレード。いわば「ヤバいよヤバいよテンプレート」とでもいうべきものなんです。

おそらく誰かが書いた原稿を棒読みしているだけなんでしょうけれど、いやいや、あなたは日本の総理大臣なんだから、少しは自分の頭でものを考えてみてくれ。それが難しいのなら、こういう文面があったら自動的にブロックされて棒読みできないようにするとかさ。最悪「ピー音」をかぶせるとかね。そうでもしないと、ぜんぶあなたが言ったことになっちゃうんですよ。

冒頭から紹介しましょう。

〈皆さん、こんにちは。内閣総理大臣の岸田文雄です。「共生社会と人権」に関するシンポジウムの開催に当たり、一言御挨拶申し上げます。

平成27年に国連で採択された持続可能な開発目標、ＳＤＧｓでは、「誰一人取り残さない」との理念の下、17の目標が掲げられています。政府におけるＳＤＧｓの達成に向けた取組の一つでもある共生社会の実現は、我々の果たすべき重要な使命です〉

日本の政府とメディアは本当に好きなんですね、ＳＤＧｓと「誰一人取り残さない」という文言が。まあ、好きなものはしかたがないとして、重要な問題は、いいですか、「国連で採択された持続可能な開発目標」である「共生社会の実現は、我々の果たすべき重要な使命です」と言い切っちゃっていることですよ。

国連で決まったことだからって、なんで日本人は絶対にやらなければいけないんですか。ああ、そうですか。どうぞご自由に、と引き下がればすむだけの話です。だって、日本の国のあり方は、国民に選ばれた国会議員が話し合って決めるのが筋でしょう。あれ、違うんですか？

それを、「国連でこう決まりましたから、日本もやらなければいけません」とシレッとおっしゃいますが、そんなもん、いつ、誰が決めたんですか。国連の採択は日本の国会の法案成立より優先するなんて、いつの間に決まったんですか。聞いていませんよ。

そもそも国連は多数決の場です。その悪い見本である国連の安保理は、中国とロシアが常任理事国として拒否権を持っている。すでに、日本とは異質の政治体制が支配的する場になっているわけです。なんてったって、多様性と共生社会を標榜する団体ですから。

だから、極端な話、もしどこかの国が「あー、日本マジむかつく！　海底資源が豊富にあるあの海域の島はウチの領土だ！　よし、日本をつぶそう！」という決議が採択されたら、どうするんですか。中国もロシアも金でいくらでも票を買い、多数決で攻めてくるんですよ。

官邸ホームページにビデオメッセージをアップして、「ああ皆さん、残念なお知らせがあります。我が日本国は、国連決議により、本日ただいまを以て解散せねばなりません」とでも言うつもりですか。いくらなんでも、それはないでしょう。

「国連で決まったことは、世界で協力して実現しなければならない」などという妄想から、日本はいつになったら目を覚ますのでしょうか。

第一、日本がいくら肩に力を入れても、世界のほとんどの国は、国連の言うことなんか耳を貸しません。

国連が「性の多様性を認めよ」と言ったって、イスラム諸国では相変わらず同性愛者は逮捕されているし、処刑される国だってあります。性の多様性云々と言うのは勝手ですが、それ以前に、それぞれの国に、それぞれの文化やルールがある。

日本の政治や経済にはなぜか「国連至上主義」とでも呼ぶべき価値観がはびこっていますが、「国連で共生しろということになったから、日本も共生しなければならない」なんて、そんなおかしな理屈をバカ正直に振りかざすのは日本ぐらいです。「ＳＤＧｓ」ってなんスかーみたいなのがむしろ正常な反応です。

そもそも、いま国連を牛耳っているのは誰なのか。ウイグル人の問題一つ解決できないくせして「共生社会」が聞いてあきれます。

そもそも「共生社会」とは何なのか。岸田首相はビデオメッセージで、こう言っています。

〈しかし、残念ながら、我が国においては、雇用や入居などの場面やインターネット上において、外国人、障害のある人、アイヌの人々、性的マイノリティの人々などが不当な差別を受ける事案を耳にすることも少なくありません。

マイノリティの方々に対して不当な差別的取扱いを行ったり、不当な差別的言動を行ったりすることは、当然、許されるものではありません。

また、近年、外国にルーツを有する人々が、特定の民族や国籍等に属していることを理由として不当な差別的言動を受ける事案や、偏見等により放火や名誉毀損等の犯罪被害にまであう事案が発生しており、「次は自分が被害にあうのではないか」と、日々、恐怖を感

じながら生活することを余儀なくされている方々もおられます〉
どうも、岸田さんのこのメッセージによれば、「不当な差別」のない社会が「共生社会」であって、しかもなぜか、「不当な差別」の被害に遭うのはマイノリティに限定されているようです。ホントっすかっちゅう話ですよ。
マイノリティ（差別の被害者）とマジョリティ（差別の加害者）は一種の役割分担で、日本では差別の対象となるのはつねに外国人や性的少数者マイノリティだから、日本人で異性愛者である私たち多数派は、はじめっから加害者に決まっている。もうそこにいるだけで犯罪者なのです。だから私たちは延々と贖罪を続けなければならない。少数者に謝り、彼らの機嫌を損ねないように、平身低頭生きていかなければならないことになっています。そういうことを言っている国もお隣にありますよね。その件はすでに解決済みではありませんか。二国間の条約で決定済みではありませんか、と言っても、いやいやいや、日本人は何があろうと、永遠にわれわれに謝り続ける義務があるのですと。
とにかく人数が多くて異性を愛する日本人が悪いに決まっているというこういう考え方を、いわゆるポリコレのさらに遥か先を行くＣＲＴ（Critical Race Theory=批判的人種理論）と言います。朝日が大好きな、このＣＲＴという考え方はすでに、日本社会の骨の髄まで蝕《むしば》んでいることは、岸田総理の次の言葉からも明らかです。

〈国会でも繰り返し申し上げてきたとおり、特定の民族や国籍の人々を排斥する趣旨の不当な差別的言動、まして、そのような動機で行われる暴力や犯罪は、いかなる社会においても決してあってはなりません〉

ここでも外国人が差別、暴力、犯罪の被害者として想定されている。でも、これって何かおかしくありませんか。私たちが日常的に目にしている日本社会の現実とは真逆のような気がします。私たちが見ている外国人の暴力や犯罪が、岸田総理にはいっさい目に入らないようです。そんな現実など存在しないかのように、「外国人が差別や暴力や犯罪の被害にあっている！　そんなことはあってはならない！」と息巻いているわけです。

「普遍的価値観」など存在しない

たとえば、埼玉県川口市のクルド人の横暴な振る舞いについて、先日、『デイリー新潮』（2024年2月3日　www.dailyshincho.jp）にこのような記事が出ていました。

〈「ナンパされて車に連れ込まれそうに…」「車を盗まれて全損」　川口市が直面する「クルド人問題」に迫る〉

ナンパされて車に連れ込まれそうになったのも、車を盗まれて全損したのも、被害者は日本人です。加害者は外国人たるクルド人のほうです。

同記事の後編には、こんな見出しがついています。

〈「日本人がわれわれに合わせるべき」埼玉県の「クルド人問題」当事者らに話を聞くと衝撃の答えが…市議は「多文化共生は不可能」〉

加害者の外国人が「日本人がわれわれに合わせるべき」と豪語しているのです。怒ってもしかたありません。我が国のトップである岸田総理大臣が、われわれ日本人がいかに被害を受けようとも、外国人に一方的に合わせなければならないと言っているのですから。

なぜならわれわれ日本人は、マジョリティであり、権力者であり、差別の加害者だからです。だからどんな場合であっても、われわれがどれほどひどい目にあおうと、マイノリティたる外国人に合わせなければならない。彼らはそれを知っているからこそ「日本人がわれわれに合わせるべき」だと上から目線で主張する。

CRTは外国人が他国を乗っ取るための理論です。岸田氏のいうがまま政策を進め、社会がそれに倣えば、日本はまもなく、日本ではなくなります。

次の言い方もおかしい。

〈我が国は、「法の支配」や「基本的人権の尊重」といった普遍的価値を重視し、国際社会と共有してまいりました。我々が目指すべきは、全ての人が安全・安心に暮らすことができる「人間の尊厳」が守られた世界であって、これを脅かすことにつながる不当な差別や偏見に対しては、内閣総理大臣として、断固立ち向かってまいります〉

「法の支配」ですって？　イスラム教徒にとって「法の支配」とはすなわち、「神の法の支配」のことです。神の法は、岸田政権や「国際政治学者」の大好きな「国際法」とは何の関係もありません。もちろん、日本の法ともゼンゼン違います。

彼らにとっての基本的人権はわれわれの考えるものとは全く異なる。世界には岸田氏が思うような普遍的価値など実際には存在しない。リベラル界隈が夢想したような普遍的価値は、実は全然普遍的ではなかったということが、世界のあちこちで露呈しています。

イスラム教徒が安心安全に暮らせる社会というのは、イスラム法、神の法によって支配された社会です。では岸田政権は、労働者として受け入れるイスラム教徒の望む安心安全な社会のために、「内閣総理大臣として、断固」日本をイスラム化するのでしょうか。日本人の安心安全などどうでもいいんですか？

そんな倒錯した価値観を受け入れることは到底できません。いいえ、できませんとも。

岸田氏はこう続けます。

〈共生社会を実現するためには、他者との違いを理解し、そして互いに受け入れていくことが重要です〉

いやいやいやいや。違いを受け入れるってあんた。同性愛者は処刑しろとか、女は存在自体が恥ずかしいから家に引っ込んでろとか、一人で外にいる女はみんなレイプされたがっているから何をしてもいいんだとか、女はできるだけ早く結婚したほうがいいから9歳くらいで嫁がせろとか、イスラム以外の宗教は邪教だから寺も墓も地蔵も全部破壊しろとか、そんな「違い」を「互いに受け入れていくことが重要です」とか、あなた自分が何を言っているのかわかっているんですか？

日本人が外国人の文化を受け入れれば、みんな仲良く暮らしていけると、本気でそう思ってるんですか？　傍若無人な外国人のわがままを必死で我慢したり、泣き寝入りしたりしている日本人がすでにたくさんいるにもかかわらず、いや、もっと、日本人はがまんしろ、何も言うな、とにかく外国人に合わせろと言う。なぜならそれが国連の命令だから。それが岸田総理の考えている「共生社会」です。

〈政府においても、共生社会の実現に向けて、引き続きしっかりと取り組んでまいります。

共に歩みを進めてまいりましょう〉
日本人がいつまで岸田氏と「共に歩みを進める」かどうかは、日本人の選択次第です。
私はかなりヤバいと思っています。

（2024年2月6日）

民主主義最大の敵・イスラム主義をなぜ左翼は推すのか

イスラム主義者とイスラム教徒

さて、先日、ある人から「イスラム主義とは何か」と聞かれました。

イスラム主義というのは、政治も社会も経済も文化も、この世の全てをイスラム化し、全世界をイスラム法によって統治することを目標にかかげ、そのために行動しなければならないいっちゅうイデオロギーなんですよ。

実はイスラム主義というのは、イスラム教の基本的な教義と同じです。ではなぜイスラム教とイスラム主義を分けるかというと、大半のイスラム教徒はその目標を信じ、共有してはいても、行動に訴えることはしないからです。

だからこそ、イスラム教徒が多数を占めるアラブ圏でも、イスラム主義者のことを「イスラーミユーン」と蔑称で呼ぶことがある。イスラム教徒がイスラム主義者のことを皮肉を込めて「イスラム野郎ども」と呼ぶわけですよ。

「神の道におけるジハード」、つまり異教徒を武力で制圧するための戦いはイスラム教徒にとっての義務ですが、ほとんどのイスラム教徒はこのジハードを実行しない。だからこそ、日本にもイスラム教徒は住むことができ、私たち日本人もイスラム諸国に行くことができるわけです。

20億人いるイスラム教徒がみなイスラム主義に目覚めたら、私たちは彼らとつき合ったり、仕事をしたり、隣り合って住んだり、彼らの国と行き来することはできなくなっちゃいます。イスラム主義者は実際にジハードしてしまうわけですから。典型例がアルカイダやイスラム国（IS）、タリバン、そしてハマスといったイスラム過激派テロ組織ですね。

ジハードしないイスラム教徒どもは偽物だ、「あいつらも敵だ！」というのがイスラム過激派の立場です。だから彼らは、ジハードをしない一般のイスラム教徒も敵認定して平気で殺す。イスラム諸国の軍や警察や政府も標的にするのは、これが原因です。

ではジハードしないイスラム教徒は、自分たちはジハードしないからダメなムスリムだと自覚しているかというと、必ずしもそうではない。中にはもちろん、ジハードしたいけど怖くてできないとか、家族がいて状況が許さないとかいう人もいますが、ほとんどが自分は立派なムスリムだという誇りを持っています。

ところがやっかいなことに、現在、世界の中で徐々にイスラム主義者の活動が顕著になっている。これまで普通のイスラム教徒だった人たちが、イスラム主義に目覚め、イスラム主義者となり、イスラム主義活動をし始める傾向が確認されています。

やや語弊があるかもしれませんが、これは「正しい人」「いい人」でありたいとなんとなく思って生きてきた人が突然、左翼活動家に身を投じるのに似ています。「地球環境にいいことをしよう！」と節水や節電に目覚め、レジ袋を使わないようにしたりしているうちはいいですが、それが美術館に殴りこんで絵画にペンキをぶっかけてドヤるようになったら活動家もどきの犯罪者でしょっちゅう話です。

実際、イスラム教徒が急にイスラム主義者に変身する現象が珍しくなくなりました。それは、ヒゲをのばしはじめたり、長衣をきたり、ニカーブ（サウジアラビアの女性が着る目以外の全身を覆う民族衣装）で顔を覆い隠すようになるといった、外見が急に変わることから始まったりもする。

イスラム主義活動は、武器をとって異教徒を攻撃するジハードに限りません。世界をイスラム化するための活動ならば、どんな活動もイスラム主義活動です。

イスラムは素晴らしいと言って回ってもいい。異教徒を改宗させるのもいい。異教徒と恋愛関係になり相手をイスラムに改宗させて結婚してもいい。非イスラム国に移住してもいいし、移住先でモスクや土葬墓地を建設するのもイスラム主義活動です。学校に対し、ハラール給食を出せとか、ラマダンの時は授業を休ませろとか要求するのもイスラム主義活動です。公道や公園や電車や飛行機の中で礼拝をするのもイスラム主義活動です。街頭に出て「イスラエルは虐殺をやめろ!」とか「パレスチナ解放!」と叫ぶのも立派なイスラム主義活動なんです。

日本でもすでに、このイスラム主義活動はさかんに行われています。やっているのはイスラム主義にめざめたイスラム教徒たちであり、それを支援し称賛しているのは概ね左翼活動家です。なぜなら彼らは、片やイスラム主義、かたや共産主義ではあっても、ともに今ある自由主義社会、民主主義社会を破壊したいという共通の野望を持っているからです。もっと有り体に言えば、彼らは「不満だらけの人たち」です。

民主主義を破壊する力は、左翼よりもイスラム主義者の方がずっとずっと強力です。彼らは暴力に訴えることを厭わない。9・11を見ても、ハマスを見ても、タリバンを見てもおわかりでしょう。

だから暴力に訴える「ナマの力」をもたない左翼、あるいは自称リベラルたちは、イスラム主義者に頼るわけです。イスラムは平和の宗教だ！　とか宣伝し、世界がイスラム化すれば世界は平和になるかのように、そう、まるでイスラム主義者そのものであるかのようなプロパガンダを平気で吹聴するのです、ハイハイ。

暴力に屈した英国民主主義の敗北

イスラム主義者は気に入らない敵を暴力で制圧します。

2005年7月、ロンドンの地下鉄とバスを狙ったテロで50人以上が殺害されました。

2010年には労働党のスティーブン・ティムズ議員がイスラム教徒にナイフで刺され、瀕死の重傷を負いました。

2017年5月にはアリアナ・グランデのコンサートで自爆テロが発生し、22人が殺害されました。

2021年には保守党のデイヴィッド・エイメス議員が「イスラム国」を支持するイス

ラム教徒アリー・ハルビー・アリーに殺害されました。
こちらのリストを見れば、あまりに多くのイスラム過激派テロ事件がイギリスで発生していることがわかります。(List of terrorist incidents in Great Britain - Wikipedia　en.wikipedia.org)
最近ではマイク・フリーア法務大臣が、イスラム主義者らからの度重なる殺害予告、脅迫、攻撃を受け、次の選挙には出馬しないという声明を出しました。(Mike Freer: North London MP to step down over safety fears　www.bbc.com)
彼は議員になってから14年間、ずっとイスラム主義者から攻撃され、脅迫されてきたそうです。エイメス議員の刺殺犯アリーもフリーア氏を狙っていました。彼が標的にされたのは、ひとつには彼がユダヤ人やイスラエルを支持してきたからで、もうひとつには彼が同性愛者だからです。
フリーア氏は演説の時などは防御ベストを着用していましたが、2023年末には彼の事務所が放火されました。彼はこれで自分と家族のために、もう議員を続けることはできないと決意したとのことです。
イギリスの政府も警察も、フリーア氏をイスラム主義者から守ることができなかった。

民主主義を信じ、地域住民に奉仕してきた国会議員が、イスラム主義者の脅しと暴力に屈したのです。これは民主主義の敗北です。

ところが、自国の法務大臣すらイスラム主義の攻撃から守ることができなかったというのに、退任する彼に対してスナク英首相は「非常に残念だ」と述べるだけですませています。(Britain Can't Protect Its Own Government Ministers from Islamists www.thefp.com)

フリーア氏の退任についてメディアは、多少は報じていますが、政界の反応は驚くほど鈍い。国会議員はそれぞれ、自身の選挙区にイスラム教徒がいる。またイスラム主義問題を掘り起こして、自分も標的にされるようなことは避けたい。だから彼らは、この問題から目を逸《そ》らすわけです。これだけイスラム過激派テロが起こり、議員まで殺されても、イギリスはまだイスラム主義の危険に目覚めない。

アメリカのバイデン大統領も、2021年に就任した際、新型コロナ、経済、気候変動、人種差別を「4つの危機」と位置づけていました。イスラム主義はどこにも見当たりませんでした。しかし、私は民主主義の最大の敵はイスラム主義だと思っています。

気に入らない人間は殺し、そこまでいかなくとも殺すと脅し、嫌がらせをすればフリーア氏のように、表舞台から「消す」ことができる。イギリスはその先例を作ってしまった。

これは深刻な事件です。

しかしリベラルなメディアはむしろイスラム主義を応援する。「多様性だ！」「多文化共生だ！」と、イスラムの「固有の文化」を尊重すべきだと主張する。政治家はイスラム主義の問題から目を背《そむ》ける。脅迫された人はかわいそうに、自らの身を守るために職を辞さなければならない。警察は守ってくれない。社会は「気候変動こそが民主主義の敵だ！」と大騒ぎする。

日本でも、「脱成長コミュニズム（共産主義）」で自然災害、戦争、食料や天然資源の不足、インフレといった複数のリスクが絡み合う「複合危機」を乗り越えよう！　と大騒ぎしている「専門家」が、メディアでは引っ張りだこの人気者だっちゅう話です。

日本社会がイスラム主義の問題に目覚めるのは、まだ遥か遠い先の未来になるのか、それともイギリスの過ちを回避する決断が日本にできるのか。現在のイギリスは明日の日本です。

（2024年2月7日）

第4章

日本に不法移民を入れてはいけない

日本人少女をレイプするイスラム教徒に罪の意識はない

日本で生活するなら日本のルールを守りなさい

皆さん、こんにちは、飯山陽《あかり》です。お元気ですかー！

さて、産経新聞が、女子中学生への性的暴行容疑で難民申請中のトルコ人を逮捕したと報じました（2024年3月7日　www.sankei.com）。

〈女子中学生に性的暴行をしたとして埼玉県警川口署は7日、不同意性行等の疑いで、トルコ国籍でさいたま市南区大谷口の自称解体工、ハスギュル・アッバス容疑者(20)を逮捕した。「日本人女性と遊んだが暴行はしていません」と容疑を否認しているという〉

この産経の記事では、逮捕されたアッバス容疑者は、トルコ国籍、さいたま市在住の自称解体工ということになっていますね。

同じ事件を報じた同日のNHKの記事では、「トルコ国籍の自称クルド人」となっていましたが、産経の続報により、難民申請中で仮放免中の在日クルド人（トルコ国籍）であることがわかっています。

彼の属性は、埼玉県川口市に数千人居住しているとみられるクルド人とほぼ共通していますが、さいたま市に住み、川口署が逮捕したということは、川口で活動するクルド人の居住地がさいたま市など近隣の市にも広がっているということでしょう。

トルコ国籍クルド人の多くはイスラム教徒で、一般的にはそれほど信仰に熱心とは言えないものの、クルド人の文化には、イスラム教の文化と共通するところが多くあるのも事実なんです。

そのひとつが女性や性に関する文化です。イスラム教では、人間は男性か女性のどちらかであり、双方に別々の義務と権利を神は与えたと信じています。ですから男女は同権ではないんです。さらに、人間をイスラム教徒とそれ以外とに峻別します。イスラム教徒は救済されますが、異教徒は必ず地獄に堕ちます。

したがって、人間には序列があり、上から順に、

イスラム教徒の男→イスラム教徒の女→異教徒の男→異教徒の女

ということになります。つまり、イスラム教では、異教徒の女というのは二重の意味で

卑しい存在とされており、尊厳を持つ者として扱われません。「異教徒の女」って私たち日本人の女性のほとんどがそうですよ。

加えてイスラム教には、性行為や結婚をしても許される最低年齢というものが定められておらず、そもそもそういう概念もありません。預言者ムハンマドは、一番のお気に入りの妻だったアーイシャが6歳の時に婚姻契約をし、9歳の時に床入りしたと伝えられています。これが、イスラム教で早婚が奨励される典拠となっているワケですね。

何が言いたいかというと、イスラム教徒男性にとっては、異教徒の女子中学生というのは、これは性的に何をしてもいい存在だと、そうみなす可能性があるということです。

このイスラム教の女性観、異教徒観が、ヨーロッパでイスラム教徒移民による現地の女性たちに対する性暴力事件が多発している背景に間違いなくある。イスラム教徒男性は、異教徒の女には何をしてもかまわない、あいつらが髪を露出させ、肌を露出させているのは、あいつらに尊厳がないことの証であり、あいつらはむしろレイプされたがっているのだと、そう理解してしまうことがあるんですね。

もちろん、すべてのイスラム教徒がそうではありません。しかし彼らはそういう教育を受け、そう考えるのが当然であるという文化に生きている。今回、川口署に逮捕されたクルド人に、これがどの程度当てはまるのかはもちろんわかりません。しかし世界にはこうした文化が厳然としてあるんですよ。こうした女性観を当然とする人々がかなり多く存在しているのです。

これが多文化共生の現実です。多文化共生の現実はかように厳しいっちゅうことです。被害者はもう出ている。他国の文化を受け入れる以上、自分自身はもちろん、家族にも用心させなければなりません。これまでのように、日本社会でのんきに暮らすわけにはいかないっちゅうことです。

こうした状況を是正するには、外国人に対し、あなた方の常識は日本では受け入れられないと明言し、日本では日本のルールを守らなければならないことを厳しく要求し、徹底させるしかありません。外国人の子供には、できるだけ早いうちから、日本のルール、文化に馴染んでもらう必要がある。日本人の女性、女の子をレイプするのは犯罪なんだ、と。

小さいうちから、女性を見下し、異教徒を見下すのが当然の価値観の中で育てば、それが当たり前だと思う大人になります。フランスが幼児教育を義務教育化した背景には、こうした事情もあるんですよ。

日本には、こうした対策はもちろん一切ない。ただただ、多文化共生はすばらしい、日本人は外国人の文化を理解し、受け入れろと合唱するだけです。ふざけんじゃねーよって話です。

今後、この種の事件はさらに増えるでしょう。なお、被害の可能性のあるのは全ての女性です。幼女から老女まで、年齢は問いません、念のため。さらに念のために申し上げておきますが、男もレイプの対象になります。

（2024年3月8日）

あえてクルド人ヘイトのデマを流す共同通信の思い上がり

ヘイトの定義を改竄して人を非難する共同通信

皆さん、クルド人問題に関連した話の続きです。

さて、共同通信が「自民若林氏、クルド人憎悪あおる『国にお帰り』とSNSに投稿」というこんな記事を配信していました。（Yahoo!ニュースnews.yahoo.co.jp）

〈自民党の若林洋平参院議員（静岡選挙区）が22日までに、X（旧ツイッター）で、在日クルド人への敵意をあらわにした差別的投稿を引用し「日本人の国なので、日本の文化・しきたりを理解できない外国の方は母国にお帰りください」などと書き込んだ。ネットでは、埼玉県南部で暮らすクルド人の排除を叫ぶヘイトスピーチが急増中。若林氏は、こうした動きを背景に憎悪をあおった形だ〉

共同が言及しているのは、若林氏のこちらの投稿です。

〈我が物顔で日本人に迷惑をかけ、挙げ句日本人死ねというならどうぞお帰り下さい。日本人の国なので、日本の文化・しきたりを理解出来ない外国の方は母国にお帰り下さい〉

そして、若林氏が引用しているのは、埼玉県川口市のクルド人問題を取材しているジャーナリスト、石井孝明氏の次の投稿です。

〈おい、クルド人、「日本人死ね」と言っていないか。これは聞き捨てならない。お前らは不法滞在者なのに何を、偉そうなこと言っているのだ。そんなことをいうなら帰れ。言わなくても犯罪者は帰れ〉

つまり、共同が「在日クルド人への敵意をあらわにした差別的投稿」と断定しているのは石井さんの投稿であって、若林氏に対しては「憎悪をあおった」と批判しているということになります。

共同通信は、事実を客観的に報じるというメディアの立場・役割を逸脱し、ものの善悪を裁く裁判官、あるいは絶対者、あるいは神の視座に立っちゃっていますね。何がヘイトで、何が差別で、何が憎悪をあおる発言なのかを自らが判断し、断定する資格があるかのような勘違いしている。これは由々《ゆゆ》しき事態です。

とはいえ、そもそもニュースに自らのお気持ちや意見を色濃く反映させるのは、共同通信の以前からのやり方でした。そしてこの傾向は共同だけではなく、すべてのメディアに共通しています。彼らは日本人に「事実」を伝えたいのではなく、自分たちの信じるイデオロギーや勝手な正義を押し付けたいだけなんです。というか、イデオロギーや正義を押し付けるためにメディアを名乗り、そのためのツールとしてニュースを利用していると言っても過言ではないですね。こんなことばかりしているから、日本人は徐々にメディアへの信頼を失い、マスコミを「マスゴミ」呼ばわりし、次第にテレビも新聞も見なくなった。自ら信用を落とす「報道」もどきを続けているのが、メディアの信頼を大きく失墜させた原因です。身から出たサビっちゅう話なワケです、ハイハイ。

共同は若林氏の投稿もヘイトスピーチだと、こう非難しています。

〈特定民族であることを理由に「国へ帰りなさい」「日本から出て行って」などの言葉を浴びせるのは、典型的なヘイトスピーチと解される。こうした差別的行為に対し、岸田文雄

首相も今年2月5日に「断固立ち向かう」との決意を表明している〉

そうなんですか。へーえ。でも、法務省の「ヘイトスピーチ、許さない」のページ（https://www.moj.go.jp/JINKEN/jinken04_00108.html）をみると、「ヘイトスピーチ」とは、「特定の国の出身者であること又はその子孫であることのみを理由に、日本社会から追い出そうとしたり危害を加えようとしたりするなどの一方的な内容の言動」（傍点、引用者）であって、その典型的な例として、

〈特定の民族や国籍の人々を、合理的な理由なく、一律に排除・排斥することをあおり立てるもの（「〇〇人は出て行け」、「祖国へ帰れ」など）〉

があげられています。

あれ？　共同の記事には

〈特定民族であることを理由に「国へ帰りなさい」「日本から出て行って」などの言葉を浴びせるのは、典型的なヘイトスピーチと解される〉

とありますね。

ははーん、共同通信は意図的かつ巧妙に法務省の文書を改竄してますやん。

法務省は「特定民族であること『のみ』を理由に」と言っているのに、共同はこの「のみ」

を削除し、文意を変えてしまっています。さらに、「合理的な理由なく、一律に」という部分も勝手に削除している。

これは意図的な操作であり、通信社によるウソ・デマの拡散と言えるものです。若林氏の投稿は、形式的にはクルド人に向けたものだと理解されますが、彼は「どうぞお帰りください」と丁寧な表現を用いている上に、「我が物顔で日本人に迷惑をかけ、挙げ句日本人死ねというなら」と、合理的な条件と理由をあげています。さらに、「日本人の国なので、日本の文化・しきたりを理解出来ない外国の方」という条件もあげています。

クルド人全員にむけて「帰れ」とは言っていません。しかも、その条件は一方的なものではなく、まさしく理にかなったものですよね。

ということは、若林氏の投稿は、法務省の定める「ヘイトスピーチ」には該当していないじゃないですか。にもかかわらず共同通信は、若林氏を糾弾しているわけです。

このように、ある人の発言を「ヘイトだ！」「差別だ！」「憎悪をあおった！」とメディアがあげつらう現象は、欧米でもよく見られます。共同通信は、こうした欧米メディアの「裁判官仕草」をマネしたのでしょう。そして裁判官あるいは神さながらに、若林氏の発言や石井氏の発言に対し「ヘイトだ！」「差別だ！」「憎悪をあおった！」と非難した。

しかし、情報をめぐる一般的状況と環境は以前とは大きく変わりました。かつて一般国民は、共同通信などの大手メディアの情報しか知ることができませんでした。しかし今は違う。共同の記事を鵜呑みにはせず、若林氏の投稿が本当にヘイトスピーチなのかネットで調べ、検証することができる。そして共同に対し、「これは法務省の定めるところのヘイトスピーチではありませんね、あなたたちはヘイトスピーチの定義を改竄し、不当なレッテル貼りをしていますね」と、逆に糾弾することができちゃうんですね、私のように、ハイ。

若林氏のXの投稿は、こう締めくくられています。

〈本来外国人に対する生活保護などありえません！　母国に保護して貰って下さい。それでも日本に居たいなら日本のルールくらい守れ！〉

生活保護は日本人のためのものであり、外国人のためのものではないというのは客観的事実です。そして日本に居住する者が日本のルールを守るべきだというのは、これは極めて一般的な常識です。決してヘイトでも憎悪を煽る発言ではないっちゅう話です。

共同通信は実に狡猾で卑怯で傲慢です。私はこれからも、共同をはじめとする日本のメディアのウソを怒りとともに暴き続けちゃいます。ご期待くださいね。

（2024年2月26日）

日本が不法移民の〝聖域〟になってしまう

不法滞在者と仲よく暮らしましょう

さて、NHKの「不法滞在外国人の在留　ガイドライン見直し案まとまる」というこんな記事を読んで、危うく腰を抜かしそうになりました。

〈法務省は、不法に滞在している外国人の在留を、法務大臣の裁量で特別に認める際の基準を定めたガイドラインを設けていますが、その見直し案が明らかになりました。在留資格がなくても、親が地域社会に溶け込み、子どもが長期間教育を受けている場合は、在留を認める方向で検討するなどとしています〉（2024年2月28日　www3.nhk.or.jp）

は？　不法滞在者でも？　親が地域社会に溶け込み？　子どもが長期間教育を受けている場合は？　在留を認める……ですって⁉　何じゃそりゃ。

これはヤバい、ヤバすぎです。これでは、子供のいる在日外国人は、別に在留資格、ビザを取る必要なんかない、ということになるじゃありませんか。

どんな国だって、外国人が一定期間以上滞在する場合には、滞在ビザをとらなければなりません。

私はモロッコ、エジプト、タイに住んでいましたが、いずれも滞在ビザをとって生活していました。滞在ビザをとったり更新したりするには面倒な手続きがあって、時間もかかって大変だけれど、それをやらなければ不法滞在者、すなわち犯罪者になってしまうので、みな真面目に書類を書き、ビザ発給の役所に出向き、長いこと並んで、長いこと待って、やっとビザをとるのです。

それが法治国家です。皆が法を守ってはじめて秩序が保たれる。皆が法を守らなくなれば、秩序は崩壊しちゃいます。

ところが、日本の法務省が今やろうとしているのは、法を守らなくてもいいというルールづくり、法の抜け穴づくりです。日本に長期滞在する外国人は必ず正規の手続きで発給されたビザをもっていなければならないという当たり前の法律を、有名無実なものにしようとしているんです。これは法治国家であることの放棄であり、日本の治安を破壊する暴挙です。

「岸田氏は先日、日本に暮らす外国人はルールを守るという大前提で彼らと共生していかなければならないと述べた」とNHKさんは言いますけどね、だけど国は「法をやぶっていい」というルールをつくろうとしているわけですから、法をやぶるのもルールのうち、安心してください、不法滞在者もルールを守ってますよという、わけのわからない事態が発生しかねません。不法滞在という概念自体、意味がなくなりますよ、あなた。

しかも、この「地域に溶け込む」という漠然とした条件はいったい何なんですか？　ある不法滞在者について、誰がどのような観点から、「この人は地域に溶け込んでいる」とか「溶け込んでいない」と判断するのでしょうか？

「法務大臣の裁量で特別に在留を認める」などというのは、体《てい》のいい言い訳です。というか、不法滞在者でありながら、地域に溶け込んでいるというのは、かなりヤバい人です。住民からみればとんでもない脅威ですよ。

そもそも、なぜその人は不法に日本に滞在しているのか。規定の要件を満たせばビザが下りるはずなのに下りないということは、その人が条件を満たしていないということです。日本に滞在することを認められないような人間が「地域に溶け込んで暮らす」というのは、潜在的な大問題じゃないのっちゅう話です。

「在留資格がなくても、親が地域社会に溶け込んでいればOK」というのは、運転免許がなくても、長年運転していてクルマ社会に溶け込んでいれば、運転免許などなくてもいいと言っているのと同様です。そんなことになったら、誰が時間と手間をかけて免許の更新なんか行くものですか。

免許の更新というのは、その人が運転をするのに十分な知識や能力、視力などをもっているのか確認するための手続きです。それを備えていない人が運転をすれば、それは社会にとっての脅威となる。危険極まりないわけです。

資格を備えていないからといって免許をとりあげたら、運転ができなくなってかわいそうだなんて言い出したら、社会の安全と秩序が保たれるわけないでしょ。これは、公共の利益の問題です。資格を満たさない人に運転免許を与えないことは差別でも何でもない。

法務省は不法滞在者の問題を明らかに履き違えています。いや、これは故意に、わざと履き違えているのでしょう。彼らは法治に「かわいそう」というお気持ちを持ち込むことにより、法治を破壊しようとしている。行きつく先は、日本社会の秩序の崩壊です。

「子どもが長期間教育を受けている場合」は不法滞在でもＯＫだと法務省は言う。それこそが「かわいそう」というお気持ちの持ち込みです。「長期間」とは具体的にどのくらいなのか、「教育」とは何なのかもはっきりしない。不明瞭な基準を設けるというのはつまり、無制限に「子供のいる不法滞在者の滞在許可を認めよう」と言うのに等しいでしょ。

子供がいれば不法滞在が認められるなら、子供を作ればいいじゃないかということにもなるでしょう。手段として子供が作られ、利用されることになる。いや、そんな悠長なことをしなくても、どこかから他人の子供を連れてきて、これが私の子供ですということもできる。当然、これも子供の搾取です。法務省のガイドラインは、こういった子供の搾取を助長する側面もあります。ホンットに最低です！

ニューヨークを見限った難民は日本をめざす

人種や宗教や性別を理由とした不当な扱いは差別の誹《そし》りを免れません。しかし、国籍を理由に区別するのは差別ではありません。勘違いしてはいけない。

日本国内で、日本国民とそれ以外の人々の扱いが区別されるのは、当然のことです。それが国家というものであり、今の世界の秩序の根幹をなしています。不法滞在者が増加すれば、その国の秩序は破壊され、治安は悪化する。その好例として、現在アメリカでは、不法移民が最も重要な問題になっていますよね。

日経電子版（2024年3月1日）には、「バイデン大統領・トランプ氏が国境へ　不法移民巡り強硬策競う」というこんな記事が出ていました。

〈バイデン米大統領とトランプ前大統領が2月29日、米南部テキサス州のメキシコ国境を訪れた。米国内で不法移民への懸念が高まり、大統領選の主要な争点となる中、両者ともに対策の強化を訴えた。テキサス州による独自の移民取締法の施行を連邦裁判所が阻止するなど対立が深まる〉

そうして、「移民問題、『最も重要な課題』に」という見出しの後、こう続きます。

〈米ギャラップの2月の調査によると「この国が直面する最も重要な問題」に「移民」と回答した割合は28%と最多で、1月の20%から増加した。「政策」(20%)、「経済全般」(12%)、「インフレ」(11%)などを引き離し、急速に関心が高まる。

米南西部の国境を越えて拘束・保護された不法移民は23年度(22年10月～23年9月)に247万人超と3年連続で過去最多を更新〉

皆さん、1年で247万人ですよ。アメリカでは現在、不法移民が急増しています。なぜなら、記事にもあるように、バイデン政権が「不法移民に対してオープンな政策」をとってきたからです。

かつてはメキシコや南米各国からの流入がほとんどだったといいますが、今は、中国などから中南米を経由して米国を目指す不法移民も増えています。バイデンの「不法移民に対してオープンな政策」が、世界中から不法移民を引き寄せているのです。

不法移民が急増すると社会はどうなるか、アメリカの現状から見ることができます。たとえばテキサス州。ここのアボット知事は共和党の人で、バイデン政権の移民政策批判の急先鋒です。

テキサス州は、不法移民を乗せてメキシコから入ってくる貨物列車を止めたり、メキシコとの国境に流れる川の中間地点にブイを置いて泳いで渡れないようにしたり、岸に蛇腹のワイヤを設けたりして移民の流入阻止を目指しました。

そして移民に寛容な州、いわゆる「サンクチュアリ・シティー（聖域都市）」に大型バスで不法移民を大量に送りつけたりもしてきました。「そんなら不法移民の面倒はお前らが見ろ」っちゅうことです、ハイ。

サンクチュアリ・シティーの代表がニューヨーク市です。そして、移民を大量に受け入れたサンクチュアリ・ニューヨークは２０２２年10月、非常事態を宣言しました。

移民に対して24年度には約42億ドル、25年度には約49億ドルという巨額な予算を計上し、法律違反の疑いのある移民も保護してきた民主党のアダムズ市長は、政策転換の考えを示しています。不法移民をどんどん国内に入れ、誰でも彼でもニューヨークにいていいよ、という政策をとった結果、市が財政破綻しかけているっちゅうことです。

ニューヨーク市に限らず、不法移民を受け入れた州や都市は軒並み財政が悪化し、地元住民の不法移民に対する感情も悪化している。

当然です。いまや不法移民の問題は、アメリカにとって最大の問題だと28％のアメリカ人が考えているのですから。

では日本はどうかと言えば――いままさに、岸田内閣が「不法移民に対してオープンな政策」をとりつつあります。アメリカで不法移民に厳しいトランプさんが再び政権をとれば、今、アメリカに殺到している世界の不法移民は、今度は大挙して日本を目指すでしょう。日本は国をあげて不法移民の「サンクチュアリ」になろうとしているんですよ、ハイ。

日本が大量の不法移民を受け入れれば、日本の財政は傾き、日本国民の移民に対する感情は悪化し、早晩、日本にとって最大の問題は不法移民だと多くの人が答えるような状況に陥るでしょうね。

この流れが明らかであるにも関わらず、日本政府はこの間違った方向にどんどん進んでいる。これはどんだけヤバいかっちゅう話です。

朝日が絶賛！「日本人より外国人を優先する地方都市」の明日

（２０２４年３月１日）

外国人を公務員にして本当にいいのか

皆さん、お元気ですか！

さて、読売新聞オンライン（www.yomiuri.co.jp）に「外国籍職員を採用方針の群馬・大泉町、『反対』意見の７割は県外から…町長『方針にぶれはない』」という記事が載っていました（２０２４年３月２日）。

冒頭には次のようにあります。

〈外国籍の人を正規職員で採用する方針を発表していた群馬県大泉町の村山俊明町長は１日、町内外から寄せられた78件の意見のうち95％が反対だったと明らかにした。町は昨年12月、新年度に行う２０２５年度採用試験から、全職種で国籍条項を廃止する方針を公表した〉

なるほど、群馬県大泉町が２０２４年度から行う町の採用試験は、外国人も受けることができることになっており、それに対して数多くの反対意見が寄せられたと、こういうことですね。

同じ出来事を毎日新聞（mainichi.jp）が報じると、次のようになります。

〈外国籍職員採用解禁に抗議74件　群馬・大泉町　スパイ活動懸念など

2025年度採用の町職員試験の受験資格から国籍条項を撤廃する群馬県大泉町の村山俊明町長は1日、撤廃の意向を明らかにした23年から2月末までの間に反対や抗議が74件寄せられていると発表した。（中略）

国籍条項の撤廃を巡っては、山本一太知事も県職員の採用について全職種への拡大を検討しており、外国籍が住民の約2割を占めている同町は県に先んじて撤廃に踏み切る〉（傍点、引用者。2024年3月1日）

なるほどなるほど、群馬県のなかでも外国籍住民の多い大泉町が、県にさきがけ、率先して国籍条項を撤廃したということのようですね。

毎日の「撤廃に踏み切る」という表現には、これは「いいこと」であり、そこに間違いは全くない、大泉町は素晴らしいと絶賛する主旨が込められているように感じますね、ハイ。

先だって共同通信が、自民党の若林洋平議員や維新の高橋英明議員に「ヘイトを煽った！」とレッテル貼りしたのと同様、この毎日新聞の記事も、事実よりイデオロギーと価値評価を前面に出し、それを隠すそぶりもありません。実に堂々としたものです。新聞が事実を伝える媒体、メディアを装い、実は特定のイデオロギーを吹き込むプロパガンダ機関になっているというこうした事例は数多く確認できます。

時に、外国人が大泉町の町の職員になることは本当に「いいこと」なのでしょうか。町役場というのは当然、住民の個人情報を多く扱います。戸籍や家族の情報、家系、どのくらいの収入があって税金をいくら納めているのか、あるいは誰が生活保護を受けているのかなどに加えて、その人の健康状態についての情報も扱いますよね。

そうした情報を取り扱う町の職員の中に外国人がいると、それらの情報が外国に流出する可能性がある。世界には、自国民に対し、スパイ行為を奨励しているおそろしい国だって存在します。それがどこかは言いませんが、たとえば中国という国には「国家情報法」なる法律もあります。

これには、衆議院議員の松原仁氏が以下の「デジタル上の人権（人格権）の尊重に反する中華人民共和国国家情報法に関する質問主意書」（令和元年6月18日提出）で述べているように、大きな問題があります。

〈同法は、第十条で、国家情報活動機構は、業務上の必要に基づき、法に従い必要な方法、手段、経路を利用し、国内外で情報活動を行う旨規定している。そして、第七条で、国民と組織は、法に基づいて国の情報活動に協力し、国の情報活動の秘密を守らなければならず、国は、そのような国民及び組織を保護する旨規定している。

これら規定によると、日本国内の旅行者も、定住者も、中国人である以上、中国の国家情報活動機構から情報活動の協力を求められた場合には、協力する義務を負うこととなる。したがって、中国国家情報法の規定の適用を受けない日本企業であっても、当該企業に中国人が関係している場合、そのような中国人が、中国の国家情報活動機構に協力を求められた場合には、中国国家情報法に基づいて協力を義務付けられる。そのため、日本企業が保有するデジタル情報が不当に中国の国家情報活動機構により収集される現実的潜在的危険性が現に認められる〉(www.shugiin.go.jp)

つまり、大泉町に中国人が採用された場合、大泉町の所有するデジタル情報が中国の国家情報活動機構により収集される現実的、潜在的危険性があると言えるのです。

にもかかわらず、毎日新聞はこれを「いいこと」と評価し、大泉町の村山町長も、「県には約600件の抗議が寄せられていることを示した上で『誰かがやらないといけない。従来の町職員採用での志望動機に多文化共生を挙げる志望者が圧倒的に多い。鋼《はがね》の心をもってやり遂げる』と述べている」のだそうです。はァ？　日本人の個人情報が外国に収集される心配など、考えたこともなく、ひたすら「多文化共生」に燃えているようですね。町長のアタマの中は「多文化共生＞日本人の安全・安心」という序列が確固としてあるのでしょう。

朝日新聞は2023年9月13日のウェブ記事で、「多文化共生、ヒントは　群馬県大泉町長・村山俊明さん」という記事を掲載し、「この町の姿は将来の日本の姿だ」と語る村山町長を絶賛していました、ハイハイ。

大泉町は住民の2割を外国人が占めており、すでに人権や多様性を重視した人権擁護条例などを制定したり、7カ国語で行政対応したりするなど、外国人に積極的に手を差し伸べているが、多言語対応には限界があるため、将来的に英語を町の共通語にする方針とのこと。また、外国人の高齢化が進み生活保護受給者や要介護者が増えているので、外国人への情報提供にも努めているとのことです。

・外国人のための多文化対応

・外国人のために英語を公用語にする方針
・外国人のために生活保護を提供
・外国人のための情報提供の充実

そして、今度は外国人のために外国人を町で雇用する、というわけです。

村山町長はこうした外国人政策について、率先して「多文化共生」の理念・理由を掲げますが、その背景には、大泉町には外国人住民が多いだけではなく、生活保護を受給している外国人も多い、という事情もありそうです。

2018年5月3日の産経新聞「生活保護受給外国人の多い群馬県大泉町を歩く　日本語の壁　再就職できず」というこちらの記事には、冒頭、次のようにあります。

〈群馬県南東部に位置する人口約4万2千人の地方都市、大泉町。SUBARU（スバル）をはじめ大手メーカーの工場が立地する同町は、バブル期の人手不足を機に外国人の受け入れを拡大し、現在は住民の約18％を外国人が占めている。一方、同町の生活保護受給者のうち外国人は23％と人口比率を上回る。リーマン・ショック後の景気悪化などで解雇された後、日本語能力がないため仕事につけないといったケースも多いとみられる〉

大泉町には46カ国からの外国人が住んでいるそうです。町長、あるいは町は、これを「多文化共生」と誇り、より一層「多文化共生」を進めるべく、外国人を町の職員に起用すると決定したのですが、その実、そこには、

- 外国人のほうが日本人よりも高い率で生活保護を受給している
- 外国人は日本語能力の問題で再就職できない人が多い
- 外国人から住民税を徴収するのが困難
- 外国人対応のため資料を外国語で作るなどのコストが大きい
- 外国に住民の個人情報が漏洩する
- 外国の利益となる外国の思惑に従った行政が行われる

といった負の効果、つまり、リスクがあることを町もメディアもほとんど報じません。

生活保護費の出所は町ではなく国と県なので、生活保護費がいくら増えても町の財政を圧迫することはありませんが、そのかわり、国と県の負担は増えますよね。日本の福祉に頼る移民が増えれば増えるほど、その自治体の財政負担は大きくなって、欧米には財政破

綻する事例もあります。ニューヨーク市もこれが理由で財政難に陥っている自治体のひとつです、ハイ。

外国人の福祉で財政が圧迫されれば、当然、日本人の福祉が疎《おろそ》かになります。日本人はただでさえ、年金と社会保険料の負担増に苦しんでいる上に、その受益者が、そもそもそれらを負担してこなかった外国人であるという矛盾が生じるわけです。

この矛盾を前に、いや、これは多文化共生のために仕方がない、我々が納めた年金も社会負担率が上がり、かつ我々の年金受給額が減っても、それは致し方ないのだ、と納得する日本人がどれほどいるでしょうか。

加えて、そうした外国人を救済するかのように町が外国人を職員に採用すれば、その分、日本人の採用枠は減ります。なおかつ、住民の情報が外国に漏洩する可能性が常にあり、町の行政はますます外国人、外国の利益に適《かな》ったものに変わっていく可能性が高い。

大泉町が進めているような「多文化共生」というのは、日本人の負担を増やし、日本人を危険にさらすヤバい愚策だと私は思いますよ。外国人の存在を私は全く否定しません。しかしいまの多文化共生のあり方では、日本は早晩、日本ではなくなるでしょう。

（２０２４年３月４日）

日本の「中東バランス外交」に〝親日国〟トルコが激おこ！

国連は民主的組織なんかではない

皆さん、こんにちは、飯山陽です。お元気ですか！

さて、公安調査庁が『国際テロリズム要覧２０２３』を公開しました（https://www.moj.go.jp/psia/ITH/index.html）。

昨年発行された２０２２年版との大きな違いは、「主な国際テロ組織等、世界の国際テロ組織等の概要及び最近の動向」から、ハマス、ＰＫＫ、ヒズボラといった項目が消滅しちゃったことです。２０２２年版では確かにあったはずのこれらの組織が国際テロ組織一覧から削除されています。驚きましたね。

岸田政権は２０２３年10月7日のハマスによるイスラエルへの大規模攻撃をいったんはテロと認定したにもかかわらず、その1カ月後には「ハマスはテロ組織ではない」と認識を改めたことになりますね。これでいいんすかね？

一方、ＰＫＫというのはクルド人の分離独立をめざしてテロ攻撃を続けるトルコ内の武装テロ組織であり、これまでに１万人以上のトルコ人を殺害してきたとされています、ハイ。イデオロギー的にはクルド民族主義であると同時に、２０２３年10月１日にも、トルコの首都アンカラで自爆テロを実行し、犯行声明を出しました。マルクス主義を掲げる左翼組織でもあります。アメリカ、イギリス、ＥＵはＰＰＫをテロ組織に指定しています。

群馬県の地元紙『上毛新聞』は、テロ組織の認定選択基準について公安調査庁に問い合わせ、以下の記事を掲載していました。

〈「キナ臭い」「裏がある」　公安調査庁ＨＰから消えた国際テロ組織情報　担当者に真意を直接聞いてみた〉（www.jomo-news.co.jp　２０２３年11月29日）

記事には以下のようにあります。

〈広報はそもそも公安調査庁として「国際テロ組織を指定する制度はない」とした上で、大幅削除の理由について「情報出典元を改めたため」とした。23年版から記載内容を国連安保理決議第１２６７号に基づく制裁リストに準拠したという。従来は海外のシンクタンクのレポートなどを出典としていたが「どのような基準なのか」という問い合わせもあり、「基準を明確に分かりやすく、との方針の下で23年版を発行した。ウェブ版の更新がこのタイミングとなり、話題になったのではないか」（担当者）としている〉

なるほど、「国連準拠」だったわけです。2023年からは基準を改め、国連が「テロ組織」と認めていないものは国際テロ組織として認識しない、ということみたいですね、ハイ。

このことからもわかるように、日本は内政、外交ともに、国連絶対主義の傾向が著しく高まっていると私はみています。

日本として主体的に考えるのではなく、国連の考え、決定に倣うっちゅうわけです。国連がよしとしたものをよしとし、ダメだとしたものはダメだとする。こういう傾向が強くなっているのです。

日本では国連という組織が奇妙に崇め奉られ、国連は正義であり、国連の決定に異論を唱えることは悪であるとされています。しかし、国連は「自由民主主義」の価値観が共有された組織ではありません。

中国とロシアが常任理事国であるがゆえに、国連安保理では自由民主主義にもとづく意思決定はなされません。

中国とロシアに忖度する国の数が多いゆえに、国連総会や人権理事会などでも自由民主主義にもとづく意思決定はなされない。国連の組織、たとえば人権理事会は明らかに人権侵害独裁国家に支配されており、人権侵害独裁国家同士が互いの人権侵害を正当化し合うためのサークルになり下がっちゃっています。

国連と民主主義諸国の認識の違いが顕著に表れているのが、テロ組織に対する認識です。国連パレスチナ難民救済事業機関（UNRWA《アンルワ》）はユダヤ人憎しに凝り固まったイスラム過激派に支配され、ヘイト教育の温床となり、テロを促進している。アメリカ、イギリス、EUはがテロ組織に指定しているハマスを、国連はテロ組織指定していません。

したがって、公安調査庁がこれまで主な国際テロ組織として認識してきたハマスをリストから外したということは、欧米の自由民主主義国家の価値観ではなく、中国やロシアといった人権侵害独裁国家の価値観に寄り添うことを意味しちゃうわけですね、ハイ。

これは岸田政権が、10月7日のハマスによる大規模なイスラエル攻撃を「テロ」と呼びたがらず、今に至るまで岸田政権も日本メディアも「中東専門家」のほとんど誰もハマスを「テロ組織」と呼ばないことにつながっている。

要は、日本は国家としてハマスに忖度し、それこそが「バランス外交」なのだと自画自賛している有様なんですね。

しかしこれが失敗であることは以下の事実が物語っています。

日本はハマスに寄り添ったが、ハマスの仲間であるフーシは日本の貨物船を拿捕し、自衛隊の護衛艦「あけぼの」に向かって弾道ミサイルを2発撃ちました。

フーシはこれを否定していますが、弾道ミサイルが発射されたのはフーシが支配する地域であるのは間違いありません。テロ組織の言い分を真に受けるのは愚かです。彼らは堂々とウソをつきます。

しかも日本政府は、ハマスをテロ組織と呼ばず、ハマスをテロ組織リストから削除して忖度している割には、アメリカ政府に足並みをそろえ、ハマス幹部に経済制裁を課したりもしているワケです。ワケがわかんないんですね。

ハマスの味方をしてみたり敵対してみたり、全く筋が通っていない。

何がなんだか意味不明の場当たり的なハマス対応を次々と繰り出しているのが岸田政権なんです。

だからあらゆる国、当事者から嫌われる。これが日本の中東「バランス外交」の実像です。

クルド武装組織PKK削除の波紋

クルド人と言えば、ＰＫＫ関係者を含む数千人のクルド人が暮らす埼玉県川口市で、市民とクルド人とのあいだにさまざまな問題が発生し、事件も多発していることをご存じの方も多いでしょう。彼らクルド人の多くは、日本における有効なビザを所有していない「仮放免者」でもあります。

公安調査庁がPKKをテロ組織一覧から外したことは、トルコのメディアも大きく報じています。

たとえばトルコの日刊紙Ｙｅｎｉ Ｓａｆａｋは、２０２３年11月28日付で「日本の呆れた不祥事：テロ組織リストからPKKを削除」という記事を掲載しています。

Japonya' dan akıllara durgunluk veren skandal karar: PKK' yı terör örgütü listesinden çıkardılar | Asya Haberleri（www.yenisafak.com）

Ｙｅｎｉ Ｓａｆａｋはトルコの与党である公正発展党とエルドアン政権を支持するメディアですから、これは概ねトルコの公式見解を代弁していると考えていいですね。同記事の冒頭には、次のようにあります。

〈アメリカに日々誘導されている日本が、新たな決断を下した。日本の国内情報機関である公安調査庁は、テロ組織のリストを公式サイトで公開した。

リストにはアルカイダやＤＡＥＳＨなどの組織が含まれていた。しかし、注目されることを免れえなかった細部が議題となった。日本の諜報機関は、最近までテロ組織とみな

していたPKKをこのリストに含めなかったのだ〉
同紙はさらに「日本ではテロ組織PKKの支持者たちが公園でトルコ兵の死を賛美する歌を歌いながらダンスをしていることが問題になっている」と指摘しています。
この記事には次のようなコメントがついています。

・日本に対する敬意を完全に失った
・日本車をボイコットしよう
・（トルコの）外務省は日本を注視すべし
・PKKメンバーは全員日本に行くべきだ。そうすれば我々も助かる

トルコの皆さん、激おこですね。そりゃそうでしょ。

トルコ人の国際関係学者はXにこんな投稿をしています。

〈日本の諜報機関がPKKを国際テロ組織のリストから削除した！　長い間、日本のPKK支持者たちは行動を組織し、世論を生み出し、その効果を高めてきた。ヨーロッパに続いて、PKK最大の民間支援組織が日本でも形成され始めた。ついに今日、日本はPK

Kをテロ組織のリストから削除した〉

また、「日本でテロ組織PKKの支持者たちが公園でトルコ兵の死を賛美する歌を歌いながらダンスをしていること」というYeni Safakの記述については、トルコ人と見られるムエッザー氏のアカウントが、この歌について次のように解説しています。

・彼らが歌っていたのは「Oramar」という曲名で、PKKがトルコ兵を殺害したことを祝福する歌である
・（埼玉県の）蕨《わらび》市では毎年クルド人がこの曲で踊っている
・日本人はあまりにも無知で、PKKに簡単に操られている
・この状況が続けば政治的に日本とトルコが敵になる可能性がある
・これは左派と共産主義者の日本人による火遊びである

周知のように、トルコは日本政府、外務省が「伝統的親日国」だと持ち上げ続けてきた国ですね。ところが岸田政権のいわゆる「バランス外交」や国連絶対主義のせいで、トルコから大きな反発を受けてしまったっちゅうワケです。

因果関係は不明ですが、公安がPKKをテロ組織から削除したニュースが流れた直後の2023年11月29日付のトルコの官報で、日本にいるPKK関係者3人の資産凍結が発表されました。ワッカス・チョーラク、メフメト・ユジェル、ワッカス・チカン。全員、在日クルド人です。

ワッカス・チョーラク氏については、自民党の参議院議員、和田政宗氏と何らかの関係があるらしく、Facebookにチョーラク氏が和田議員に「感謝」する投稿をしていた旨をジャーナリストの石井孝明氏が伝えています。

〈和田参院議員にスキャンダル、クルド人の陰謀論に踊り埼玉県民を中傷

私をスパイ呼ばわりした某国会議員が、トルコ政府が11月29日にテロ組織関係者として、資産凍結をした人と、ばっちり写真に。007の出来の悪い回の脚本みたい（12月7日追伸・トルコ政府は、V・C氏と日本クルド文化協会について11月28日に、テロ組織PKKと関係があるとして、資産凍結措置を行った。人をスパイ呼ばわりした和田氏が、テロ組織と関係があったわけだ。これについて、和田氏は詳細な説明をしていない。ヒアリングしただけだと言っているが、ここに書いたように、私をめぐる情報をやり取りした形跡がある。説明責任がある。

https://withenergy.jp/3653　2023年11月14日）。

日本は国連絶対主義を強化し、ＰＫＫをテロ組織リストから外した。その結果、「伝統的親日国」であるトルコから激怒された。皆さん、これも岸田政権の中東「バランス外交」の失敗の証です。

しかもトルコがテロリスト認定するＰＫＫ関係者と自民党議員が何らかの関係を持っている。日本政府はＰＫＫをテロ組織リストから削除することで、今後ますますその活動に寛容になるのでしょうか。これってヤバくないですか？

ＰＫＫ関係者を含むクルド人のビザなし入国を、これからも日本政府は認め続けるのか。トルコがテロ組織として対峙するＰＫＫを受け入れ、それでもなお「トルコは親日国」だと言い続けるのか。

岸田政権はなぜここまで矛盾した政策をとれるのか、私には理解できません。まともな人間の思考回路ならショートして火花が散り、頭が火事になりそうです。私が理解できないだけなら大した問題ではないのですが、この矛盾した政策は日本社会を確実に破壊し、日本を間違いなく弱体化させます。そして相変わらず、日本の中東研究者や国際政治学者たち自称〝専門家〟は、こうした肝心な問題については口をつぐみます、ハイ。

（２０２３年12月１日・２日）

飯山 陽（いいやま　あかり）
1976年、東京都生まれ。イスラム思想研究者。アラビア語通訳。上智大学文学部史学科卒。東京大学大学院人文社会系研究科アジア文化研究専攻イスラム学専門分野単位取得退学。博士（東京大学）。現在はメディア向けに中東情勢やイスラムに関係する世界情勢のモニタリング、リサーチなどを請け負いつつ、調査・研究を続けている。著書に『イスラム教の論理』（新潮新書）、『イスラム教再考』（扶桑社新書）、『愚か者！』（ワック）、『ハマス、パレスチナ、イスラエル』（扶桑社）などがある。

卑怯者《ひきょうもの》！
あっち系《けい》の懲《こ》りない面々《めんめん》

2024年6月27日　初版発行

著　者　飯山 陽

発行者　鈴木 隆一

発行所　ワック株式会社
東京都千代田区五番町4-5　五番町コスモビル　〒102-0076
電話　03-5226-7622
http://web-wac.co.jp/

印刷製本　大日本印刷株式会社

ISBN978-4-89831-905-5